QUEM, EU?

FERNANDO AGUZZOLI

QUEM, EU?

UMA AVÓ.
UM NETO.
UMA LIÇÃO DE VIDA.

FERNANDO AGUZZOLI

pa ra le la

Este livro recebeu o apoio de:
ALTOS DO BELA VISTA, CASA DE REPOUSO BEM VIVER, CASAS DE BELÉM, JEITO DE VIVER, MENINO DEUS SÊNIOR, PEDRA REDONDA, SANTA MADALENA, VILLA ARGENTO E VITALIS

A Editora Paralela é uma divisão da Editora Schwarcz S.A.

Grafia atualizada segundo o Acordo Ortográfico da Língua Portuguesa de 1990, que entrou em vigor no Brasil em 2009.

Capa
Claudia Espínola de Carvalho

Fotos de capa e miolo
© Arquivo pessoal

Preparação
Mariana Delfini

Revisão
Luciane Helena Gomide
Isabel Jorge Cury

Dados Internacionais de Catalogação na Publicação (CIP)
(Câmara Brasileira do Livro, SP, Brasil)

Aguzzoli, Fernando.
Quem, eu?: Uma avó. Um neto. Uma lição de vida / Fernando Aguzzoli. – 2ª ed. rev. amp.– São Paulo: Paralela, 2015.

ISBN 978-85-65530-97-2

1. Avós e netos 2. Doença de Alzheimer 3. Experiências de vida 4. Família - História 5. Histórias de vida I. Título.

15-02586 CDD-920

Índice para catálogo sistemático:

1. Avós e netos: Histórias de vida 920

[2015]

EDITORA SCHWARCZ S.A.
Rua Bandeira Paulista, 702, cj. 32
04532-002 — São Paulo — SP
Telefone: (11) 3707-3500
Fax: (11) 3707-3501
www.editoraparalela.com.br
atendimentoaoleitor@editoraparalela.com.br

SUMÁRIO

INTRODUÇÃO, 9

1. O MACACO QUE LAVAVA ROUPAS, 13

2. AFETOS E DESAFETOS, 19

3. O NETO: EU!, 21

4. QUEM, EU?, 29

5. RIR PODE SER UM BOM REMÉDIO!, 39

6. NÃO TOCA NO TUCANO!,45

7. NÃO É FÁCIL, 53

8. BENJAMIN BUTTON, 59

9. VIREI PAI. E AGORA?, 61

10. *GRAN FINALE*, 69

11. A SAUDADE E AS LIÇÕES QUE APRENDI, 79

EPÍLOGO: A VOVÓ É UMA ESTRELA, 85

DIÁLOGOS INESQUECÍVEIS, 89

AGRADECIMENTOS, 169

NOTAS, 175

Às duas mulheres da minha vida,
a mãe que virou filha e a filha que virou mãe.
Esta obra é do início ao fim uma homenagem à minha avó,
por ela ter me ensinado o que é a vida,
e um agradecimento à minha mãe,
por ter me ensinado como viver.
A vocês, com carinho, amor e gratidão.

INTRODUÇÃO

A história que vou contar não é apenas sobre uma avó, muito menos sobre uma doença. Para além disso, quero compartilhar uma experiência de vida que me trouxe lições que jamais imaginei aprender.

Sim, este livro falam de mim, Fernando Aguzzoli, aspirante a filósofo, com um talento epistêmico para a comunicação. Sim, o livro também fala sobre minha avó, Nilva Aguzzoli, italiana daquelas que gesticulam com as mãos enquanto falam aos berros, filha de imigrantes que nasceu e cresceu na gelada Serra Gaúcha, e dona de um gênio fortíssimo. Mas, muito além disso, este livro fala da relação entre uma avó e um neto, uma amizade com base em um amor incondicional que, no final da vida, acaba por vencer todos os obstáculos, mesmo aqueles que vêm para devastar o que temos de melhor, as nossas lembranças.

Tudo começou em 2008, com um diagnóstico: Alzheimer. Depois de muito pesquisar sobre o assunto, vi que todo o conteúdo disponível acabava incentivando o familiar a abandonar o idoso que sofre com a doença. "Ele vai devastar as estruturas familiares", "você vai entrar em depressão ao cuidar deles", "eles são agressivos" e "vai ser pior do que você imagina". Uau, que horror! Toda imagem referente ao assunto mostrava uma senhora triste e enrugadinha no canto escuro de um quarto.

Em 2011, decidi abrir mão da empresa que estava construindo e trancar a faculdade; era hora de retribuir tudo aquilo que minha avó havia feito por mim no passado, quando deixou tudo para acompanhar meu crescimento e criação. Nesse período refleti sobre minha escolha e sobre a melhor forma de conviver com ela. Encontrei o humor como resposta, e dessa forma assumi a gargalhada como filosofia. Eu não ia conseguir curá-la. Mas a gente ia rir à beça!

Depois de implementar o bom humor no nosso cotidiano e trazer ferramentas alternativas de tratamento, criei uma *fan page* no Facebook para mostrar que era possível. Eu sempre digo que não foi preciso abandonar minha vida para cuidar de minha avó; eu simplesmente a trouxe para a minha vida. As famílias que sofrem com os desafios de um hóspede com Alzheimer são cercadas por diversas dúvidas, e isso é normal, a própria medicina ainda tem dúvidas quanto ao assunto. Mas a página veio como uma alternativa paralela. Ali os familiares iriam recobrar forças e descobrir outro ponto de vista, além de compartilhar as próprias experiências.

Começou com algo restrito a amigos que sempre se importaram com vovó e admiravam nosso estilo de vida bem-humorado. E então a página se tornou um sucesso. Passamos a receber mensagens de desabafo contando aquilo que conviesse aos remetentes na relação com seus pais e avós; ora remorso por ter se ausentado, ora um depoimento orgulhoso, ora uma carta desesperada de socorro ("Minha mãe está esquecendo algumas coisas, ela pode ter Alzheimer? Eu a amo demais e faria o mesmo que você fez por sua avó"). Mas a real é que todos queriam fazer "algo". Aquele esquema de espremer o positivo de qualquer limão azedo que a vida nos joga na nuca.

Chegamos ao ponto de, na rua, em festa ou até mesmo dentro do ônibus, me pararem para perguntar: "Não é o guri da vó?". Ganhei um novo apelido! E, acreditem, vovó virou uma diva bem conhecida pelas redondezas.

Vovó acabou ganhando milhares de netos virtuais espalhados por aí, pessoas de diversos estados — e até países — compartilhando as postagens e chamando-a de vó! Eu não tenho ciúme, não, viu? Eu divido a vó com você! Mas o mais gratificante foi ver a página mudando a forma como as pessoas se relacionavam com seus familiares. Esse tipo de depoimento nos emocionava e reconfortava para os dias seguintes, pois nem tudo eram flores e mimos. Nossa mensagem é: amor e humor, dessa forma é possível. É uma receita que felizmente abrange outras tantas dificuldades da vida. Recebíamos diariamente mensagens de familiares ligados ao Parkinson, paralisia infantil, lúpus, acidente vascular cerebral (AVC), esquizofrenia, bipolaridade, depressão e outras tantas condições e limitações do ser humano. De tudo que me orgulha, esta talvez seja a coisa mais bonita: mostrar que, por meio de uma relação apaixonante, podemos transformar qualquer quadro da vida.

O formato que escolhi adotar para contar a nossa história é propositalmente uma grande ironia. Por que não iniciar um livro sobre Alzheimer falando de nossas lembranças? Dessa forma, vou apresentar minha avó e nossa relação, bem como a descoberta da doença e as lições que com ela aprendemos. São quase — mas quase mesmo — oitenta anos de vida resumidos nos próximos capítulos.

Passei minha infância inteira observando minha avó ler em sua cadeira de balanço, de *Harry Potter* a grandes romances de época, bem coisa de vó, mesmo. Agora penso que é uma linda homenagem a ela encerrar uma vida de altos e baixos com um livro dedicado a sua memória. Mais incrível ainda por se tratar de um livro que aborda uma temática tão importante e que certamente ajudará outras famílias. Vovó sozinha não conseguiria, mas com uma ajudinha, por que não?

Nas próximas páginas, então, vou contar algumas lembranças da infância, adolescência e vida adulta da *nonna* Nilva. Claro que muitas passagens não se encaixavam e estavam bem confusas, mas para esses momentos tivemos sempre o apoio de minha mãe, uma filha maravilhosa, que surgia para nos salvar quando a memória não colaborava.

Tenho como pretensão diverti-lo com nossas peripécias, mas, muito mais que isso, este livro tem o intuito de informar e alertar sobre o diagnóstico de Alzheimer e os cuidados necessários com os idosos doentes. Não é fácil, e ninguém disse que seria, mas é uma realidade crescente no cenário em que nos encontramos. Nós estamos vivendo mais, e isso é maravilhoso, mas, ao passo que envelhecemos, vamos voltando a ser crianças — no caso da minha avó, uma bem travessa —, e os cuidados vão do básico ao infinito. Imagine só, conforme nossa expectativa de vida aumenta, ficamos mais à mercê desse mal; logo, não podemos dar as costas ao futuro, muitos menos ao passado.

Calma, sem drama. Muitos avanços têm sido feitos na medicina e na ciência, mas por enquanto devemos nos conformar com aquilo que podemos fazer. Afinal de contas, ter uma "criança" em casa não deve ser assim tão difícil, né? Quem nunca teve?

Seja bem-vindo à história da vovó Nilva, amigo!

1. O MACACO QUE LAVAVA ROUPAS

Nossa história começa de fato lá em fevereiro de 1934, quando Nilva Aguzzoli, filha do meio, veio ao mundo para muito lá na frente se tornar minha avó. Sob a égide de um signo que antecipa a veia artística, Aquário, a filha de imigrantes italianos já adotara um gênio daqueles fortíssimos.

Em Caxias do Sul, interior do Rio Grande do Sul, os três filhos viviam com os pais. Victor Hugo, caminhoneiro mulherengo, e Genoveva, dona de casa que, por falar pouco o português, acabou deixando como herança uma forte identidade cultural italiana nos filhos.

"Meu pai era um gatão! Ele estava sempre bem-arrumado, e só o jeito de falar já conquistava qualquer mulher solteira. Mas não precisava conquistar tantas, né? Já a minha mãe tinha um estilo bem mais sério e comportado. Ela era braba, isso sim!"

Mas as lembranças boas que a "corujinha" — como era chamada pelos pais por andar no escuro — tinha de sua infância não completam duas páginas deste livro. A família sempre sofreu com graves problemas financeiros, e as coisas iam de mal a pior conforme o tempo passava. Entretanto, essas lembranças boas — que, por incrível que pareça, estiveram sempre muito bem impressas na memória da velhinha — o tempo todo envolveram animais com os quais crescera. Eles iam dos convencionais cães e gatos aos exóticos patos, pombas, um tucano e um macaco chamado Macaco. O curioso dessas lembranças é sua força, mesmo quando o Alzheimer já atingira um nível intermediário. Ela contava os mesmos "causos" desde que eu me lembro por gente, as histórias de vovó e seu minizoológico. Conforme a doença avançava, os protagonistas se invertiam: o Macaco agora era um gato, o cachorro fujão virava um tucano e, do nada, surgia um "ser" que nunca existiu![1]

VÓ Ah, mas não faz sentido, Fernando, tem alguma coisa errada na história.
EU Capaz, tu achas, vó?

"Meu pai era caminhoneiro e trazia um bichinho para mim e para meus irmãos de cada lugar por onde passava. Os patos viviam em uma espécie de laguinho perto da casa. Lembro inclusive de uma vez em que aprontei alguma para a minha mãe, e ela desatou a correr com pedras na mão para me acertar. O resultado foi que não vi o dito laguinho e, quando fui me esconder, caí junto com os patos. Daí não tinha para onde correr. Já o tucano era insuportável, íamos jantar e ele ficava embaixo da mesa beliscando a canela de todo mundo. Mas, em uma das viagens do papai, ele veio com o Macaco! Um bicho maravilhoso e muito inteligente, eu era apaixonada por ele. Sua casinha ficava na garagem do caminhão do pai, lá em cima, e ele estava sempre preso com uma correntinha.

"Minha mãe uma vez estava lavando roupas no tanque e ele só a observava. Daí ela resolveu dar uma latinha com água e uns trapinhos velhos para ver o que ele fazia. Acredita que ele passou a imitar todos os movimentos dela? Até batia com o pano na tábua, esfregava na água e tudo o mais, uma beleza! Ensinamos um macaco a lavar roupa!

"Minha irmã era muito má com ele, nós o levávamos para tomar banho no lago lá perto e ela rodopiava o bicho pelo rabo e o arremessava lá no meio da água, pobrezinho.

"Um dia o danado arrebentou as correntes e se mandou para a vizinha. Como se não bastasse, ela havia feito uns quantos bolos para vender. Imagina o estrago que o Macaco fez. Meus pais então decidiram dar o macaquinho. Tempos depois ficamos sabendo que, após ele ter ido para o novo lar, parou de comer, entrou em depressão e morreu. Que saudade dele."

EU Vó, tu sentes saudades do Macaco?
VÓ Muita!

EU E dos teus pais?

VÓ Por quê?

EU Porque eles morreram muitos anos atrás!

VÓ Capaz, meu amor, vi eles hoje pela manhã! Claro que não. Maluco.

A saudade para um idoso com Alzheimer é bem diferente daquela que nós conhecemos. O termo designa um misto de perda, amor, distância e falta daquilo que se foi. Entretanto, alguns elementos do passado desses idosos ainda são parte de sua realidade. A mãe de minha avó, por exemplo, era sempre tida como viva; logo, não existia saudade relacionada a ela.

A infância de vovó, simples e sem muitos recursos, terminou, para que ela iniciasse uma adolescência ainda mais conturbada e de más recordações. O pai passava muito tempo na estrada e, como muitos que nessa vida nômade se "instalam", acabava por nutrir romances sazonais. Porém, os retornos para casa passaram a tardar mais que o normal, as finanças complicaram, e a desconfiança de dona Genoveva aumentou.

Foi numa viagem em família que tudo veio à tona. Os atrasos do marido tinham nome e vestiam saia e, pior, eram a dona da pensão para onde Hugo levara a esposa e os filhos para passar o fim de semana. Que cara de pau, né?

"Num desses dias, na pensão, houve um deslizamento de terra. Assim que o morro começou a desabar, meu pai pegou a dona da pensão e a levou para uma casa mais distante, voltando depois para buscar meus irmãos, minha mãe e a mim. Realmente nos chocou ele ter resgatado primeiro aquela senhora, para depois buscar a própria família. Mas daí a dona dessa outra casa contou tudo sobre o romance que ele nutria com aquela mulher. Minha mãe ficou arrasada."

Que erro, Hugo, que erro!

Como diria a princesa Diana, havia gente demais nesse casamento. Mas Genoveva não toleraria a traição e abraçaria todas as dificuldades de ser uma divorciada, mãe de três. E que dificuldades. Depois disso, Hugo abandonou de vez o ponto fixo e pisou na estrada com vontade, parando apenas na casa de suas amantes pelo caminho.

"Eu estava terminantemente proibida de ver meu pai. Quando ouvia o caminhão dele descendo a rua buzinando, eu corria para a casa da minha avó e passávamos algum tempo juntos, mas era tudo escondido. Era meu pai, nunca deixei de amá-lo, não era justo deixar de vê-lo.

"Um dia, eu subi no sótão de casa e lá encontrei uma caixa cheia de bonecas e brinquedos. Poxa, eu nunca tive uma boneca, mas aquela caixa estava lá em cima por algum motivo. Minha mãe me viu e me arrancou de lá, e nunca comentamos sobre aquele momento. Acho que meu pai mandava para nós, mas ela tinha medo de que gostássemos dele. Queria nos proteger e também tinha uma pitadinha de ciúme, claro!"

Com o pai fora de casa, a situação financeira, que já era ruim, piorou. A saída foi colocar a pequena Nilva para trabalhar. Com apenas treze anos de idade, ela era forçada a abandonar os livros que tanto amava e trocar a escola por uma grande fábrica de tecelagem.

"Eu era tão nova que, quando a fiscalização chegava, eu tinha que me esconder no banheiro. Só saía de lá quando me buscavam, sinalizando que estava tudo bem. Se um fio arrebentasse, eu tinha que parar a máquina, emendar o fio e religá-la, essa era a minha função."

Sem qualificação e precisando ajudar no sustento da família, a pequenina permaneceria na fábrica por anos e anos. Ela foi o cenário de boas e péssimas lembranças.

"Eu adorava cantar na fábrica, para amenizar o barulho alto do maquinário! Eu tinha uma boa voz, gostava de cantar óperas e músicas italianas. Um dia o dono da fábrica me viu cantando e disse que eu deveria encarar a alternativa de cantar profissionalmente. Mas buscar oportunidade na arte era para quem podia. Para mim não dava, eu precisava daquele emprego."

Tenho grandes recordações da minha avó cantando. Mesmo com a voz castigada pelos anos de cigarro, seguia acertando o tom. Pode até ser coisa de neto coruja, mas pra mim o talento permanecia ali sonolento, aguardando por um despertar. Cada vez que eu — desafinado como sou — arriscava uma das óperas que ela cantava, vovó me olhava com os olhos brilhando e dizia: "Que coisa mais linda!". Essa parte tenho certeza de que era por corujice de vó. Mas aquela voz...

E foi quando debutava os quinze anos de uma adolescência sem brilho que recebeu uma notícia devastadora.

"Um dia, meu tio telefonou para a fábrica atrás de mim. Ele era um advogado arrogante, achei estranho ter me procurado. Ele então me disse: 'Nilva, eu tenho uma notícia muito triste pra te dar. Fica calma, mas teu pai morreu'."

Hugo havia sido brutalmente assassinado pelo marido de uma de suas amantes. O crime foi encarado na época como um grande mistério na Serra Gaúcha, pois, depois que o assassino foi levado a julgamento e cumpriu sua sentença, acabou baleado pelas costas no auge de sua condicional. Vingança? Provável. Mas nunca se descobriu de onde veio a bala "justiceira".

"Eu jurei que traria tanto mal para aquele homem quanto ele me trouxe. Coragem, eu tinha; vontade, também. Mas não o fiz. A única vez que vi o rosto do assassino de meu pai foi em seu julgamento, quando olhei no fundo daqueles olhos e chorei com pena. Não sei quem o matou depois de solto, mas meu pai tinha muitos amigos, pode ter sido um deles!"

Sempre que minha avó falava sobre o pai, ela olhava para o nada, acho que buscava por ele. Ficava falando e olhando pro horizonte. Nunca pôde desfrutar do tempo de que gostaria ao seu lado, mas também, assim como disse o poeta Rumi, "O tempo é sempre curto pra quem precisa dele, só que para os amantes ele dura para sempre". Ela certamente o amou em cada segundo, mesmo sem ter tido a chance de dizer isso por quantas vezes quisesse.

Mas, como todos sabemos, a vida não nos permite luto prolongado, forçando-nos a crescer com as dificuldades. Nilva agora seguia seu rumo sem o pai que tanto amava e com uma família para sustentar.

VOVÓ, SEMPRE MUITO ELEGANTE, E MAMÃE, AINDA PEQUENININHA.

#VÓGATA

2. AFETOS E DESAFETOS

Na crista de sua maioridade, Nilva decidiu se mudar para a casa de amigos em Porto Alegre. Lá ela conheceria o grande amor de sua vida, como sempre o descreveu. Ari Lopes era um funcionário público dedicado, vinte anos mais velho. Mas, como toda corda tem seus nós, o jovem já havia constituído família e entrava agora em um caso infiel. Claro que vovó, com esse bendito gênio que Deus lhe deu, se recusou a ser a “outra”, mesmo sob todas as promessas de um dia vir a ser a única. Na busca de esquecer o homem que a tirara do eixo, arrumou seus trapos e mudou-se com a mãe para os fundos da casa de outros amigos. Mas de nada adiantou fugir. Ari a encontrou e, na primeira noite que passaram juntos, vovó engravidou dessa pessoa linda que é minha mãe.

Sempre achei curioso o funcionamento da mente humana. A vovó, embora vítima de Alzheimer, ainda tinha uma espécie de memória seletiva. Nunca esquecera o “homem de sua vida”, mas nunca mais se lembrara do assassinato de seu pai ou da mãe que havia morrido. As poucas coisas boas que vivera seguiam muito presentes na memória, abrindo caminho para que as lembranças trágicas fossem apagadas de uma vez por todas. Esquecer é mesmo um benefício para poucos, que nos permite voltar no tempo e reconstruir nosso passado. ...

O pai coruja curtiu a gravidez ainda vivendo a relação em paralelo. Farta de promessas, Nilva resolveu novamente dar cabo do relacionamento assim que a filha nasceu, terminando o caso com fortes restrições às visitas do pai. Ela estava de fato determinada a evitar e esquecer o pai de sua filha, o homem que amou até o último segundo de vida.

Não muitos anos depois, vovó conheceria o segundo homem de sua vida.

Mas, felizmente, os dez anos seguintes da vida de minha avó foram apagados de suas lembranças. Faço questão de não recordá-los em sua memória. O que há de importante para saber é que, certo dia, ela decidiu buscar a felicidade. Ela, uma operária, e minha mãe, uma adolescente, saíram de casa carregando apenas as roupas do corpo, mas agora sem medo! Ali iniciavam uma nova vida.

A lembrança que minha mãe tem desse período é de noites e noites em que minha avó chorava relembrando os anos que haviam passado.

Sem dinheiro. Sem lar. Sem nada. Mãe e filha foram para a casa de tios até que pudessem arranjar um novo emprego e, depois de anos sem um canto fixo, morando de favor na casa de amigos e parentes, pudessem alugar o primeiro apartamento, uma quitinete no centro da capital gaúcha. Esse tempo significava, para elas, um recomeço.

Durante esse período, em que as duas tinham apenas um colchão para dormir, dois garfos, duas facas, dois pratos, duas canecas e algumas roupas, familiares e amigos ajudaram, dando inclusive compras de mercado semanais, até que pudessem cambalear com as próprias pernas.

3. O NETO: EU!

O passado e suas marcas dolorosas agora haviam ficado para trás. A tranquilidade pouco a pouco conquistava seu espaço em meio às insistentes dificuldades financeiras, e Nilva permaneceria na fábrica de tecidos até sua aposentadoria, aos 55 anos.

Na sua melhor idade, vovó iniciou um bem merecido descanso. Sério mesmo? Bem capaz! Com um grupo muito faceiro de idosos, viveu momentos maravilhosos e bem animados. Uma adolescência tardia e despreocupada. Foi ali que teve flertes — sim, vovó flertava, e MUITO —, deu risada com novas amigas, saiu sem medo de voltar para casa e viajou, carregando nas costas apenas o compromisso de se divertir. Esse foi o período em que dona Nilva teve a curta recompensa por uma adolescência difícil e muito madura. Ela tinha muita disposição e a melhor cinturinha do grupo, — não à toa recebera até faixa de Princesa da Terceira Idade. Vovó sempre teve um corpo de fazer inveja a qualquer amiga. E não pense que esse porte hollywoodiano se restringe às fotografias em preto e branco. Por oitenta anos ela se manteve sem uma ruga no rosto e com as pernas mais brancas e lisas do que muita amiga minha. Pode isso?

Com o grupo de terceira idade, vovó visitou Rio de Janeiro, Santa Catarina, Gramado, Torres e outras pequenas cidades que nunca tivera a oportunidade de conhecer.

Vovó sempre teve o sonho de viajar pelo mundo e conhecer lugares novos. Quando olhávamos encartes de agências de viagem e brincávamos escolhendo um destino, ela contava que lia grandes romances e se imaginava visitando Veneza, Florença, Roma, Paris, Londres,

SER COROADA PRIMEIRA PRINCESA NO GRUPO DA TERCEIRA IDADE NÃO É PRA QUALQUER UMA!

#VAIVÓ

Nova York, Aruba... lugares que ela elencava sempre com muita paixão olhando para o céu. Certamente pedindo para que um dia pudesse visitá-los.

Depois de se divertir pra caramba, Nilva resolveu deixar o grupo de amigos pra participar da criação do primeiro neto. Essa fase da vida representara a adolescência que vovó não teve no passado, quando foi obrigada a abandonar a escola, e, junto com ela, sua juventude, que acabou se perdendo em uma fábrica. Com esse grupo ela passara a zoar com a galera, mas, mesmo assim, tomou a decisão de abandonar tudo e aceitar o novo papel que a vida lhe oferecera: o de avó. Tenho muito orgulho em dizer que esse neto sou eu — ESSE CARA SOU EU! Em novembro de 1991, chego ao mundo com um temperamento quase tão irredutível quanto o de minha avó, com quem desde sempre tive uma afinidade gigantesca. É aqui que finalmente passo a contar minhas próprias lembranças e reflexões.

NA MINHA PRIMEIRA SEMANA DE VIDA,
ENQUANTO VOVÓ ACAMPAVA EM NOSSO APARTAMENTO
PRA FICAR DE OLHO EM MIM!

#VALEUVÓ

Dona Nilva decidiu vestir o uniforme de vó da cabeça aos pés e acompanhou de perto meu crescimento. Hoje, pensando sobre isso, percebo que talvez essa dedicação tão zelosa tenha origem lá no passado. Quem sabe, vovó não estava curando uma ferida antiga, preenchendo em si a lacuna que tanto a machucava.

A partir daí, não houve um momento verdadeiramente importante da minha vida em que ela não estivesse presente. O primeiro banho, enquanto minha mãe, desesperada, não sabia o que fazer; formaturas, apresentações de colégio e por aí em diante. Logo que nasci e fui levado para casa, ela nos acompanhou e permaneceu acampada por meses ao lado do berço — gesto que mais tarde eu retribuiria na mesma intensidade.

Amar minha avó como amo não foi uma decisão, mas um aprendizado. Meus pais sempre apoiaram essa forte convivência nossa, e, por mais que ela tenha me mimado como uma boa avó deve fazer — mimem seus netos, por favor —, ela sempre me tratou como um amigo íntimo, daqueles com quem temos o imenso prazer de passar as tardes. Claro que essa "netoterapia", como carinhosamente chamam, deve ser alimentada de forma saudável. A avó que tem a obrigação de cuidar de seus netos a semana inteira pode não ser tão beneficiada quanto aquela que o faz de forma mais leve.[2]

Lembro as vezes em que meus pais viajavam e, claro, eu ficava na casa da vovó. Algumas crianças acham isso ruim, perder uma viagem para o Nordeste para ficar enfurnado dentro da casa de uma pessoa idosa. Eu também achava no começo, não vou mentir. Mas foi assim que pude conhecer melhor o estilo de vida da minha velhinha. Sempre fui muito observador, me lembro de algumas cenas bastante emblemáticas desse período: o tricô na cadeira de balanço de forro verde-bandeira, o chambre verde-água, a pantufinha de pinguim, os milhares de palavras cruzadas na mesinha e os tantos livros que ela comprava em sebos.

EU Vó, tu sabes onde estão meus livros de história do colégio?

VÓ Ali em cima, meu amor.

EU Por que estão com as páginas marcadas?

VÓ Achei que poderia ser interessante a leitura.

INDO PASSAR A NOITE NA CASA DA VÓ.
#TCHAUMÃE

EU A senhora leu meus livros do colégio?
VÓ Sim, li.[3]

Durante toda a minha infância e adolescência, fui escalado para dividir o quarto da casa de praia com ela. Lá, antes de dormir, ouvia suas histórias e ríamos muito. Legal lembrar isso sabendo a vida difícil que ela teve. Sempre a vi rindo e brincando com os casos da vida, jamais me relatando as amarguras do passado. Estas eu viria a saber muitos anos depois, na minha adolescência adulta.

Ainda nesses fins de semana no litoral, íamos até a beira da praia. Ela detestava mostrar o corpo esbelto para qualquer veranista, preferia o final da tarde, quando o mar estava poético — como ela dizia — e tudo era mais tranquilo. Deus a livrasse de qualquer tumulto, tinha pavor de muita gente.

Os carnavais passávamos juntos, quase sempre na praia. Mas, como nem ela nem eu éramos adeptos de multidão, ficávamos rindo dentro de casa, fazíamos a nossa festa. Foi aí que aprendi a gostar das antigas marchinhas de Carnaval.

EU Vô, qual tua marchinha preferida?
VÓ A poesia!

Ainda posso ouvi-la cantar Dalva de Oliveira e outros clássicos de Carnaval. Às vezes, antes do "alemão", o Alzheimer, meu celular tocava durante a tarde e...

EU Alô.
VÓ Eu tenho tanto pra lhe falar, mas com palavras não sei dizer, como é grande o meu amor por você!

Eu então sorria e ouvia o "tu tu tu tu" do telefone. Ela tinha me telefonado apenas para me cantar o verso da "nossa música", como dizíamos. No outro dia, eu fazia o mesmo.

Quando eu era menorzinho, vivia reclamando de dores aqui ou ali. Minha avó certa vez comprou umas balinhas bem pequenininhas, no formato de comprimidos, e as colocou em um frasco vermelho. Ela me entregou o frasco e disse para levar para a aula e tomar quando sentisse dor. Quando eu tomava, a dor passava. Depois descobri que na verdade eram balas, mas não me senti enganado, me senti orgulhoso. Minha avó me amava tanto que curava minha dor de cabeça com balas. Isso era único!

Minha criação ao seu lado foi rodeada de valores, partindo, é claro, de um respeito mútuo, de onde tudo se seguiu. Já nasci neto, e ela, naturalmente, me recebera como uma avó. É uma relação da qual nenhum de nós pode fugir, somos e sempre seremos netos de alguém. Mas para nós isso foi além da obrigatoriedade corriqueira, pouco a pouco conquistamos um patamar acima disso e nos tornamos amigos. Essa, meu caro, é sem sombra de dúvida a nossa maior conquista.

Aprendi aos poucos que era possível conviver com minha avó e ser mais que um simples neto. Eu podia ser um amigo. Se havia diferenças entre nós? Poxa, muitas! Eu e minha avó somos de gerações com um distanciamento enorme. Ela viveu guerras que fui obrigado a estudar no colégio; eu vivi uma revolução tecnológica que ela não acompanhou com tanta agilidade. Nós talvez não tivéssemos os mesmos interesses nem as mesmas habilidades — até tentei aprender a tricotar, que baita fracasso —, mas não são essas diferenças que tornam uma amizade tão interessante? A arte de conviver e aprender com isso é linda. Pena que o homem ainda teime em se cercar de "pessoas com os mesmos interesses".

4. QUEM, EU?

Este capítulo tem início em 2008. Eu mantinha uma rotina confortável, em que convivia com minha avó quase diariamente. Saía do colégio e caminhava alguns metros para então estar no colinho da vovó, só esperando o almoço ficar pronto — quase sempre o bife à milanesa mais crocante do mundo e a massa com um molho espetacular. Mas esse ano seria diferente dos anteriores, diferente o suficiente para mudar nossas vidas.

Tudo começou quando vovó passou a sentir a mesma indisposição após o almoço; era sempre o mesmo cansaço, tontura e dores de cabeça. Pensamos que poderiam ser os remédios para pressão alta, já que ela tomava alguns medicamentos religiosamente havia anos. Mas antes de encaminhá-la ao médico, decidimos colocá-la à prova. Ela sempre foi muito caprichosa e regrada com os remédios e seus horários, mas, ainda assim, parecia que algo estava errado. Também fomos percebendo que outras coisas estavam desconexas e sem muito sentido, coisas básicas como pequenas trocas de nomes, objetos levemente fora do lugar e a temida desorientação. Quando isolados e na velhice, esses sintomas não costumam preocupar, mas se paramos para conectar os pontos, aí sim descobrimos um contexto preocupante. Mas estávamos falando de uma senhora com setenta e tantos anos, normal que a cabeça vá enfraquecendo... ou não?[4]

O teste que decidimos fazer foi o seguinte: colocamos a quantidade de comprimidos correta para a semana em frascos rotulados e deixamos para ver se tudo corria bem. No meio da semana, já tínhamos um veredito negativo: um dos frascos já vazio e o outro com mais comprimidos do que deveria. Ela estava confusa. Alguns dias tomava os remédios

ELA ME ENSINOU A FAZER O BIFE À MILANESA! ALIÁS, ESTRAGUEI TUDO COLOCANDO GERGELIM E LINHAÇA E ME SENTINDO O MASTER CHEF!

#PARABÉNSFERNANDO

duas ou até mais vezes e, em outros dias, simplesmente se esquecia de tomá-los. Encontramos a causa da indisposição. Agora precisávamos descobrir a causa do esquecimento.

Pensei que uma medicação não regulada poderia estar gerando essa confusão, ou talvez até outra coisa que traria consigo respostas e um tratamento curativo, mas nunca cogitei a hipótese de Alzheimer. É o tipo de coisa que vemos acontecer em outras famílias e para o qual nem damos muita bola, afinal de contas, não é na nossa, né? Lembro perfeitamente do dia em que a mãe levou a vó ao médico. Quando chegou em casa, sentou na minha cama e me contou aflita sobre a desconfiança do doutor. Fiquei aturdido com a possibilidade e entrei em estado de choque. De repente eu precisava saber TUDO sobre uma doença que até então não me dizia nada, e essa foi a parte mais tensa do processo.[5]

Comecei uma busca incessante por informações. O que aconteceria? Ela poderia morrer, vítima da doença? Minha mãe poderia herdar geneticamente a doença? Existia alguma possibilidade de cura ou tratamento? E o pior: quanto tempo tínhamos?

Até hoje, quando falo que minha vó sofria de Alzheimer — acredite, isso é assunto permanente —, as pessoas comentam: "Ah, sim, ela esquece as coisas, né?". Sim, ela esquece as coisas, mas quem dera a doença fosse só esquecimento. As pessoas precisam entender que ela pode até se lembrar daquilo que comeu aos cinco anos de idade em um ponto de ônibus e se esquecer daquilo que lanchou hoje no café da manhã, mas a doença vai muito além disso.

Quando eu era pequeno, minha avó me contava as aventuras do tio "caduco" e da avó dela, que ficou "biruta". O tio ficava trancado em um quarto da casa, pois era agressivo, tirava toda a roupa e jogava tudo pela janela, até o colchão. A avó também variava as ideias conforme a idade passava e se esquecia até do próprio nome. Naquela época essas pessoas eram loucas, birutas, malucas e, principalmente, caducas! Se formos parar para pensar, talvez elas tivessem Alzheimer, afinal de contas, a democratização do diagnóstico — ainda precária — é recente. Antigamente, a expectativa de vida não era tão alta como é hoje, os índices da doença certamente não eram tão significativos, e os que hoje seriam diagnosticados com o mal de Alzheimer eram antes tachados como loucos e caducos.

Alzheimer é muito mais que resgate da memória passada e perda de memória recente. Em uma sucinta explicação, ela é uma doença crônica, progressiva e incurável, que afeta a cognição do portador. Aqueles processos básicos que todos temos como automáticos (atenção, memória, julgamento moral, linguagem, criatividade, inteligência, capacidade motora...) sofrem interferência e depreciação, acabam vítimas da doença.[6]

Depois de entender que havia mais para saber do que aquilo que todos nós sabíamos, era hora de buscar o restante da informação... e digeri-la. Foi aí que começaram a surgir algumas dúvidas que incomodavam bastante. Uma delas me visitava frequentemente: até quando eu seria o netinho querido que ela tanto amava? Quando o tempo me apagaria por completo?[7]

Ela era para mim a representação da fragilidade, e eu, na posição de neto coruja, me sentia na obrigação de protegê-la, assim como

ela lutara por mim, mas me colocar nessa situação era tão frustrante... Como defender alguém de um inimigo tão impalpável e esquivo? Imaginar aquela pessoa especial me buscando na memória ("Quem é esse rapaz?") seria inconcebível. Será que ela ia mesmo se esquecer de quem amava? A gente sempre tem a esperança: "Ah, talvez ela não se esqueça de mim, eu sou tããããão importante para ela!". Pode desistir. Ela não escolheu esquecer você, não é culpa dela.

Ao longo da vida, somos confrontados com perdas, algumas repentinas e outras já previstas. Logo na primeira perda marcante, nos aproximamos do contexto da morte; isso deixa de ser um cenário de filme e passa a ser uma nova realidade. Assim como tudo na vida, ela traz consigo aprendizados. Se de alguma forma somos obrigados a lidar com a vida e aprender com ela, em algum momento seremos, então, obrigados a lidar com a morte. E, por favor, esqueça a esperança de um dia se acostumar com ela. A morte é, e sempre será, uma m&#%@. A questão está em como vamos enfrentá-la quando surgir, e não se vamos nos habituar a ela.

Eu concordo com Woody Allen, quando ele diz: "Eu não tenho medo da morte, eu apenas não quero estar lá quando acontecer". É mais ou menos isso. Não tenho medo de enfrentá-la, tenho medo de como ela vai me enfrentar, de que forma ela vai encarar a minha família.

A minha primeira perda aconteceu muito cedo, quando meu avô paterno faleceu de câncer no dia em que eu o visitaria no hospital. Eu era pequeno e sabia apenas que passaria mais tempo na casa da vovó, mas receber meus pais no dia seguinte com lágrimas nos olhos e uma notícia daquelas... como lidar? Era tudo diferente para mim. Além de saber que vovô não brincaria de pega-pega comigo novamente, eu estava vendo meu pai chorar pela primeira vez. Muita informação para uma criança que pensa que os avós são eternos e os pais, fortalezas inabaláveis. Tudo em que eu acreditava estava desmoronando ao mesmo tempo. A realidade me confrontou, mostrando que eu não preciso estar pronto para que a vida aconteça, basta estar vivo para ter de lidar com isso. Com o luto do meu pai, aprendi o que eram vulnerabilidade e fragilidade. Todos as temos, e em vários momentos da vida as mostraremos. Ele chorou a perda do pai enquanto eu descobria que chorar era permitido no mundo adulto, e ele não era assim tão forte como eu imaginava. Com a perda de meu vô, iniciei um aprendizado constante de que necessitamos nos acostumar com a ausência. Nossa primeira reação, quando pequenos ou não, é nos perguntarmos: eu tive oportunidade de me despedir? Será que eu o olhei nos olhos com profundidade na última vez em que o vi? Aliás, será que eu o olhei o suficiente? Quantas vezes estive com ele e dei mais valor para a televisão ou o video game? E esse parece o pior sentimento do mundo, a ausência de uma despedida digna em uma perda tão significativa. A superação da morte acaba se tornando cada vez mais difícil. Em alguns casos, parece impossível.

Esse talvez seja outro sentimento que minha avó abandonou com a doença. Como sentir remorso ou se arrepender de algo de que não me lembro? Além de não ter saudade dos pais, ela não se arrependia de não ter visitado mais o pai ou de ter ficado braba com a mãe por causa das bonecas. Essas lembranças foram apagadas pelo tempo e pela doença. Saudade e remorso tinham sido riscados da lista.

A experiência que tivemos com vovó e com o diagnóstico de Alzheimer era um pouco diferente da que meus pais haviam tido com meu avô. Não havia esperança de cura, apenas tratamentos para retardar o inevitável. Reconhecer que nada está ao seu alcance é uma árdua tarefa de reflexões contínuas. O final já estava descrito detalhadamente, citando fases e estágios, inclusive com uma estimativa grosseira de quanto tempo levaria para que o último ciclo se completasse.

Agora, sim, eu estava descobrindo qual era o pior sentimento do mundo: estar de mãos atadas no camarote, olhando e aguardando aquilo que ninguém pode mudar. Pura impotência. Você dorme e acorda carregando uma tonelada de fraqueza nas costas e se sentindo o mais incompetente dos homens. Ausência não é um sentimento; é uma condição imposta pelo tempo e pela vida, mas impotência é uma forma muito competente de rebaixá-lo a nada.

Em algumas situações, o sentimento de impotência é tão grande que não podemos sequer ajudar a nós mesmos. Entramos em depressão, deixamos de sorrir, desaparece a vontade de sair de casa, e a gente pensa: "Não quero ver ninguém na minha frente". O simples fato de ir trabalhar ou ao supermercado acaba sendo uma tarefa mais difícil do que já era. Dessa forma, sentamos e aguardamos o destino cumprir suas obrigações. Mas o que poderíamos fazer para que isso não nos deixasse tão doentes quanto a vó? Precisávamos estar bem com nós mesmos para poder cuidar dela.[8]

Inconformado com tudo, tive as mais diversas reações. Quase sempre de revolta. Se antes eu me perguntava o que aconteceria com ela, agora eu queria saber os motivos pelos quais isso ia acontecer. Era justo? Por que justamente com ela, que sofrera tanto na vida? Será que sua história havia sido tão dura a ponto de ser melhor fazer com que se esquecesse? Seria uma punição ou uma recompensa? Eu não aceitava a doença de forma alguma, e isso pesava.

E se um dia eu estivesse no lugar de minha avó, esqueceria as pessoas que amo? Em um ato quase desesperado, tatuei as iniciais de vovó. Naquele momento, duas coisas me vieram à cabeça: eu teria para sempre a lembrança física de uma avó sensacional, e ela poderia sempre me questionar sobre a origem e o significado daquelas duas letras. Era mais ou menos uma fuga. Ao imprimir na minha pele permanentemente essa referência, eu estava buscando fugir da velhice que um dia me encontraria. Toda vez que ela me perguntava o que eram aquelas iniciais e ouvia a resposta, sorria como uma criança em noite de Natal: "Amorzinho da vovó", ela dizia. Não há no mundo valor que supere a reação meiga e alegre de alguém reconhecendo que é amado. Amar não é uma lembrança; é uma regra da alma.[9]

Conforme a doença avançava, íamos identificando novas dependências. Em novembro de 2011, tornou-se inviável vovó morar sozinha. Penso que, desde a descoberta da doença, toda nova decisão da família deve respeitar a independência do portador. Mudanças muito drásticas vão apenas piorar a situação. No caso de vovó, a levamos para um apartamento na mesma rua, depois para uma quitinete no mesmo prédio em que morávamos, até finalmente colocá-la dentro de nosso apartamento, onde passou a viver com meus pais e sob minha constante supervisão. Essa decisão exigiu grande preparo emocional de todos nós.[10]

Nesse momento, o idoso despede-se de um importante resquício de autonomia que lhe restava, e por isso é de extrema importância saber o período exato em que essa transição deve ser feita para evitar constrangimento e revolta.

Outro cuidado muito importante nesse estágio é justamente com os familiares cuidadores. É necessário que todos estejam preparados para uma mudança abismal no cotidiano da casa. Não só o espaço físico, mas toda a rotina vai ter que se adaptar às condições e limitações do novo hóspede. Os familiares devem buscar acompanhamento psicológico, e é importante estar preparado para concessões e desprendimento.

No nosso caso, vovó fumava feito chaminé. Já meus pais haviam parado de fumar quando nasci, e papai detestava o cheiro de cigarro. Mas era algo com que ele teria que conviver. Tudo muda, e é importantíssimo estar consciente disso. Nos últimos dois anos da doença, não tenho nenhuma lembrança de uma tarde ou noite em que eu tenha saído com toda a minha família. Eu ou minha mãe tínhamos que ficar com a vó, não havia dinheiro para um cuidador — e, mesmo se houvesse, achávamos importante que um de nós estivesse por perto. Não podia jantar fora, ir ao cinema nem viajar com meus pais. Ou ia eu, ou minha mãe; dividíamos por turnos para não ficar muito pesado, e quando surgia uma viagem ou compromisso importante, paciência, alguém ficaria em turno integral. Mas nós sabíamos disso e estávamos dispostos. Não seria para sempre, mas, pelo tempo que fosse, estaríamos ali.[11]

Vovó ainda morava sozinha na quitinete — a um corredor de distância do nosso apartamento — quando constatamos o rápido avanço da confusão, desorientação e dos esquecimentos. Já com medo de, dentro em pouco, ela incendiar a casa ou algo do tipo. Mas eu lutava contra trazê-la para nossa casa, achava que isso seria vergonhoso para ela, que sempre se orgulhou de sua independência.

Um dia, depois do almoço, a diarista do prédio bateu em nossa porta: "A dona Nilva está de pijama e com a bolsa no braço lá na frente do prédio. Ela parece um pouco perdida!". Corremos para buscá-la e vimos que, graças a Deus, ela ainda estava ali parada, tentando descobrir para que lado ir. Foi por pouco! Serviu para que víssemos que, realmente, a hora tinha chegado.

Em um fim de semana, levei a vovó para a praia, e quando voltamos já estava tudo mudado, seu quarto, montado na casa dos meus pais, onde costumava ser o meu. E eu havia ido para a quitinete do outro lado do corredor. No novo quarto estavam todos os móveis, roupas e objetos que ela tinha havia anos. Até as dezenas de santos foram junto!

Quando ela chegou, agimos com a maior naturalidade possível, como se ela sempre houvesse morado conosco naquele quarto. Sem que déssemos qualquer sinal de estranheza, ela seguiu o dia normalmente.

EU A senhora gosta de morar conosco, vó?

VÓ Claro que gosto, ué, é minha família e eu amo vocês!

Era assim que uma transição de espaço devia ser feita, sem qualquer alarde e "na camufla". Aja sempre com delicadeza. Pense bem, o idoso está sendo retirado à força do seu espaço, onde viveu momentos lindos. Às vezes aquele lugar carrega lembranças como o nascimento dos filhos, a casa onde viveu sua infância ou um casamento; esses momentos constroem nossa identidade. Uma mudança brusca pode ser um agravante agindo no emocional do idoso. Esse respeito é essencial — use a doença a seu favor e omita grandes mudanças e decisões.[12]

VÓ Quero ir para a minha casa!

EU Como assim, tua casa? A senhora aceitou morar conosco, lembra?

VÓ Eu não lembro.

EU Como assim?!

ALÔ? Claro que ela não lembra, ela tem Alzheimer! Quando a vó questionava sobre quando iria para casa, dizíamos: "Depois, vó, depois, quando sua mãe vier te buscar", e íamos enrolando a moça até o momento de dormir. Aí já estava tarde para ir para casa, e lá se ia mais um dia. Se dizíamos que não havia mais casa, meu Deus, começava uma guerra!

Toda essa revolta e questionamento que lá bem antes descrevi são fração necessária para a cura dos familiares. Sim, nós, familiares, estamos doentes. Nós sofremos de algo que podemos apelidar aqui de "vida conjunta". Passamos forçosamente a experimentar a vida do idoso. Acabamos vivendo a velhice antes que ela nos atinja e, consequentemente, todas as dificuldades que ela traz com o tempo. Nosso emocional é diretamente atingido quando somos baleados por um cotidiano estressante. Todo cuidador deve tomar as providências para que não abandone a sua vida e enlouqueça. Procurar grupos de auxílio para familiares e cuidadores é sempre uma boa alternativa.

Mas, depois de nos revoltarmos perante todas as novas mudanças, somos impulsionados para a única questão que pode realmente fazer a diferença: o.k., e agora?

PARECE UMA PRAIA, MAS É O QUARTO DA VÓ.

5. RIR PODE SER UM BOM REMÉDIO!

Você está se concentrando no problema. Se você se concentra no problema, não consegue ver a solução.

Patch Adams

Eu estava pronto para abandonar as questões referentes às causas do passado e finalmente buscar uma que me direcionasse ao futuro. Havia algo ao meu alcance? O que era?

Quando passei pelo luto precoce, velando as informações que lia e imaginando aquilo que no futuro viria a acontecer, me desmotivei ainda sentado naquele camarote sobre o qual comentei, apenas observando a vida seguir seu curso. Se antes pensava: "Se não posso mudar o final, não vale a pena fazer nada", agora percebia que valia, sim. Afinal de contas, eu via o que aconteceria no fim, mas como eu chegaria lá era uma escolha minha. Tornar essa viagem mais interessante e proveitosa para que lá no futuro fosse um pouco menos tortuoso se tornou uma necessidade.

Lembro-me de ficar bravo com qualquer brincadeira que faziam sobre a situação da minha avó. Amigos próximos vez ou outra diziam coisas como: "Putz, meu celular está com menos memória que a vó do Fer", ou então "Não lembra? Nem a tua vó!", e eu ficava furioso. Mas havia apenas dois caminhos a seguir: o do bom humor ou o da severidade.

Para assistir ao vídeo, é preciso instalar um aplicativo de leitura de QRCode no seu smartphone.

O do bom humor obviamente utilizava a gargalhada como ferramenta, inclusive como terapia. Rir diminui os níveis de estresse — e quem sabe até atrase os sintomas do Alzheimer e de outras doenças do cérebro — e com certeza melhora a qualidade de vida de todos os envolvidos. Era esse o caminho, mas óbvio que encarar a desgraça com um sorriso na cara não é tarefa fácil. Com o tempo fui me soltando, até ser capaz de fazer uma piadinha com amigos e descontrair.

Só tenho uma coisa para dizer sobre isso: Hakuna Matata!

O conceito e a filosofia da expressão africana foram bastante difundidos no filme *O rei leão*, quando Timão e Pumba cantam para Simba: "E os seus problemas, você deve esquecer! Isso é viver, é aprender, Hakuna Matata!". Foi exatamente isso que decidi fazer. Para seguir em frente fazendo o possível, é muito mais fácil esquecer o que vai acontecer lá adiante. Um dia de cada vez, esse é o pensamento. Minha avó também havia esquecido. Segui o exemplo e selecionei minhas lembranças, deixando os problemas em uma pasta, para quando chegasse a hora de me preocupar.

Quando eu sorria para a minha avó, muitas vezes ela não sabia o motivo — e às vezes nem tinha motivo, mesmo, era apenas um sorriso —, e ela então automaticamente sorria de volta. Depois me perguntava: o que foi? Eu respondia que não era nada, e aí sim gargalhávamos ainda mais! Por mais que muitas vezes pensemos que esses idosos não percebem mais nada por terem uma condição especial, essa é uma impressão distorcida nossa. Alguns se comunicam mais pelo sorriso do que pelas palavras!

A relação com a minha vó também sofreu alterações a partir do momento em que passei a utilizar com ela a "terapia do bom humor", como costumo chamar. Alguns anos atrás, a forma correta de lidar com idosos com Alzheimer era trazê-los para a realidade. Hoje, sabe-se que o correto é entrar na realidade ficcional do idoso, e, se é para fazer isso, que seja da forma mais descontraída possível.

Não era nem um pouco difícil fazê-la gargalhar, qualquer brincadeira daquelas de criança já era o suficiente: guerra de bolas de meia, pintura em papel, pega-pega e até sopros na barriga, como fazemos em bebezinhos.

VÓ Ai, meu Deus, vou fazer xixi nas calças!

EU NÃO! Tá. Chega!

Com a doença, a reação dela não parecia a de uma senhora de oitenta anos, e sim de uma criança de oito ou dez. Se antes um palavrão a deixaria perplexa, hoje a faria rir convulsivamente. Mas essa "criança" tem uma diferença frente às demais: eu não preciso educá-la para o mundo, apenas diverti-la. Posso ser politicamente incorreto, e ela adorava isso. Qualquer palavrão desencadeava uma crise de risos fofa e contagiante. Para ter uma ideia, ela passou a falar mais de sexo do que eu. Se ela mudara, por que não me adaptar?

EU Vou fechar as janelas, vó.
VÓ Nããããão.
EU Por que não?
VÓ Tem um cara me paquerando!
EU O QUÊ? Que cara?
VÓ Aquele ali!
EU Putz, o pintor do apartamento da frente?
VÓ Gatão, né?
EU Era só o que me faltava...

Com todo esse cenário transformado, passamos a ter uma relação muito mais informal e talvez até mais próxima. Toda aquela convenção de "pessoa mais velha" e "avó" foi deixada de lado e passamos a nos tratar como melhores amigos. A última coisa que sou é neto. Posso ser amigo, pai e até filho, mas o papel de neto hoje em dia é secundário.

Se ela me fazia 10 mil vezes a mesma pergunta — acredite, ela fazia — eu ria e dizia: VÓ, VAI SE CATAR! JÁ RESPONDI! E ela praguejava em italiano enquanto gargalhava. Se alguém nos ouvia de fora, certamente acharia um absurdo, mas éramos apenas dois amigos fora dos padrões. Claro que nunca abandonamos o respeito, apenas chacoalhamos um pouco a formalidade e transformamos isso em diversão.

Encontrei uma grande dificuldade nesse aprendizado: eu não era capaz de mentir para a minha avó, mas teria que aprender a fazê-lo. Com o tempo tornou-se fora de cogitação argumentar contra os devaneios da vovó Nilva, restando como alternativa confirmá-los. Ou seja, teria que enganá-la. Essa questão atinge aquilo que conhecemos por ética moral. É claro que não é correto enganar uma pessoa a quem se deve respeito, mas, quando é para o bem, abrem-se exceções. Assumo que no início sentia um gosto amargo quando era obrigado a justificar os absurdos fora de qualquer lógica. Briguei muito com minha mãe, que percebeu antes de mim a necessidade de agir com mais flexibilidade, mas nossa única motivação era vê-la tranquila e contente.[13]

Era muito comum a *nonna* querer visitar toda a sua família, especialmente aqueles que já se foram — havia décadas, inclusive. Nesses momentos, quando a vó perguntava de sua mãe ou avó, eu esbarrava na dificuldade em dizer: "Estão ótimas, em Caxias com o resto da família!". Porque, claro, não estavam!

Se a gente parar para pensar, levamos anos absorvendo todas as mudanças que uma morte pode nos trazer. Administrar a saudade às vezes dura uma vida inteira de trabalho árduo. Por que diabos eu a estava lembrando todo santo dia da morte de irmãos, tios, pais e avós?

VÓ Sabe do tio André?
EU Ele morreu, vó.
VÓ E o tio Alexandre?
EU Também morreu, vó.
VÓ E a tia Jandira?
EU Também.
VÓ E eu esqueci?!
EU Sim, esqueceu.
VÓ Então por que estás me lembrando? É tão difícil esquecer.

Depois de ter concebido emocionalmente a ideia de "enganar minha avó para o bem" com a ajuda da minha mãe, vi que podíamos criar cenários mais favoráveis e divertidos. Se a lógica abandonou o barco de vez, então chutemos o balde:

VÓ Onde está a tua vó?
EU Num hotel com as amigas se divertindo!

Claro que menos de dez minutos depois tínhamos que repetir a resposta, ou então inventar algo ainda mais criativo. "A vó Genoveva? Em um safári na África com o novo namorado, esqueceu?"

Passamos a promover a qualidade de vida e transformar um problema em oportunidade de provocar sorrisos e momentos descontraídos. Cada lembrança bagunçada era um terreno fértil para nossos devaneios. Não havia limites, e unicórnios eram bem-vindos em nosso mundo paralelo.

No último filme da saga de Harry Potter, o bruxo pergunta ao diretor de sua escola, o professor Dumbledore, se aquilo que estavam vivendo era verdadeiro ou se estava acontecendo apenas em sua cabeça. O diretor então responde: "Naturalmente, está acontecendo dentro da sua cabeça, mas por que isso deveria significar que não é verdadeiro?". Com minha avó, o dilema era exatamente o mesmo. Não era possível contestar algo que, para ela, era a mais pura realidade. Na cabeça dela, aquilo tudo era validado com provas visuais e com lembranças às vezes nunca vividas. Com essa compreensão, passamos a entender que nem sempre nossa realidade será absoluta, e, muitas vezes, teremos que pedir licença e entrar nas histórias da vovó.

A vida da minha avó não era mais compatível com o meu estilo realista. Ela agora vivia em um quadro surrealista de Salvador Dalí, um lugar onde tudo aquilo que sempre imaginamos poderia ser real em nossa clausura ficcional. Você se veria capaz de entrar de cabeça nesse universo?

Uma vez a questionei sobre a quantidade de cigarros que ela estava fumando — praticamente devorando —, e, veja bem, ela botou a culpa em um anãozinho que pulava sua janela durante a noite e dançava para diverti-la em troca de cigarros. Se isso é estar na pior, poxa... E quem estava bancando o vício do "anão" éramos nós! Pode isso?

"AS VANTAGENS DE TER PÉSSIMA
MEMÓRIA É DIVERTIR-SE MUITAS VEZES
COM AS MESMAS COISAS
COMO SE FOSSE A PRIMEIRA VEZ."

NIETZSCHE

6. NÃO TOCA NO TUCANO!

Quando planejávamos uma supermanobra para deixá-la alegre, como realizar o sonho de conhecer as Cataratas do Iguaçu, as pessoas nos diziam: "Ela nem vai se lembrar depois". É contra isso que lutamos desde o início. Ela ainda era uma pessoa e minha avó. Não era porque não lembraria no futuro que não poderíamos fazê-la feliz no presente.

Muitas vezes, quando algo de extraordinário acontecia em seu dia, ela já não se lembrava dos detalhes ao cair da noite, mas algo lhe dizia para estar feliz. Quando ela passava as tardes assistindo a um DVD do André Rieu, ficava quase hipnotizada olhando para a televisão. Assim que minha mãe chegava, ela ia direto contar o que tinha feito. Dali a algumas horas, ela ia contar que tínhamos ido ao circo. Pouco tempo depois, já mudara para um evento em uma praça, e por aí seguia, até chegar o momento em que ela sorriria faceira e não lembraria o motivo.

Nossa aventura pelas cataratas foi um capítulo à parte, mesmo. Começamos com a vó sendo fortemente barrada pelo detector de metais do aeroporto Salgado Filho, em Porto Alegre. Eu passei. A mãe passou. A vó "apitou". "Putz, primeira experiência em aeroporto e vamos traumatizá-la", pensei.

EU Moço, tem necessidade disso? Ela tem oitenta anos.

FUNCIONÁRIO Desculpe, senhor, a regra é válida para todos.

EU Ah, o.k., certo! Vó, tu tens que tirar o sapato.

VÓ Quê? Bem capaz.

EU Sério, vó, pode ser que o sapato esteja fazendo o aparelho apitar.

VÓ Ah, meu Deus. Tá bom.

Apita de novo.

FUNCIONÁRIO A senhora vai ter que tirar o sutiã.

EU Iiiih, ferrou. Volta que a vó não vai tirar o sutiã, mãe.

MÃE Vai, sim. Mãezinha, a senhora vai ter que tirar o sutiã!

VÓ O QUÊ? MAS NEM PENSAR!

EU Tu queres conhecer as Cataratas do Iguaçu ou não queres? Então. Tira o sutiã e pago um sorvete para ti, fechado?

VÓ Que barbaridade isso. Eu tiro, mas que é uma sacanagem, é!

O culpado era mesmo o sutiã. Assim começamos a viagem rumo a Foz do Iguaçu. Para quem não sabe, eu tenho medo de avião. Não, mentira: eu tenho verdadeiro pavor de avião! Agora visualize a cena: eu, agarrado em um terço rezando para todos os santos, enquanto vovó — que estava pela primeira vez dentro de um avião — olhava faceira para cada detalhe.

Hora de decolar! Eu e minha mãe já com o remédio em mãos, caso ela se desesperasse. Era eu que estava desesperado — e olha que já voei bastante. Ela estava amando, nem bola para turbulências.

EU Está pronta, vó? Não fica nervosa!

VÓ Eu não tô nervosa, amorzinho da vovó!

EU Tem certeza?

VÓ Claro que tenho. Mas tu pareces um pouco nervoso!

EU Euuuuuu? Não. Não. Nadinha. Impressão tua.

Chegando lá, fomos direto para o hotel.

EU Vó, presta bastante atenção, tu não podes fumar aqui no quarto, o.k.? Quando a senhora quiser fumar, tem que me chamar e vamos lá embaixo.

VÓ Tudo bem.

5 minutos depois.

EU Cadê a vó?

MÃE No banheiro.

EU E esse cheiro?

MÃE Putz. VÓ, NÃO PODE FUMAR NO QUARTO!

Tarde demais, um bilhetinho entrou por baixo da porta: taxa extra na diária!

Nos passeios que fizemos, ela esteve sempre muito alegre e disposta. Queria alimentar as aves e outros bichos que encontrava, isso quando não tentava discretamente tocá-los. Se a gente não estivesse de olho, lá estava ela com as duas mãos em um tucano em pleno Parque das Aves.

A operadora acabou errando o dia dos passeios e ganhamos de cortesia um guia particular. Carro importado, de couro, um ótimo ar-condicionado, uma beleza. Ah, mas o guia era argentino. E gago.

... O BENDITO TUCANO!

#CÉUSVÓ

VÓ O que ele está falando, Rose?

MÃE Não entendi nada! Fernando, tá entendendo?

EU Entendi ele falar Santos Dumont quando apontou para aquela casa, mas pode ser qualquer coisa que rime com isso!

VÓ Ai, que saco. Mas ele é simpático!

O guia, muito prestativo, se ofereceu para deixar a mim e minha mãe logo na entrada do Parque das Quedas, assim poderíamos conhecer todo o percurso. Vovó estava um pouco cansada e optamos por deixá-la com ele de carro; nos encontraríamos no lugar mais emocionante do parque. Pois bem, eu e minha mãe embarcamos em um caminho de mão única até o alfa das quedas. No meio do trajeto, começamos a nos preocupar.

EU Será que o homem está cuidando da vó, hein? Sabe que é só olhar para o lado e puft, a vó sumiu!

MÃE Ai, deve estar. Você pegou o telefone dele?

EU Não. Bá, vamos acelerar o passo.

Iniciamos uma maratona até o local onde, de acordo com o combinado, nos encontraríamos com eles. Acho que estávamos tão preocupados, que o caminho parecia ter uns cinquenta quilômetros. Um clique aqui e outro ali, pronto, vamos! De repente...

EU Mãe, olha ali!
MÃE É a vó!
EU Cadê o guia argentino?
MÃE Não estou vendo! Vamos lá...
EU Vó, o que tu estás fazendo?
VÓ Ah, vocês estão aqui! Eu estava indo ali, ó.
EU Fazer o quê?
VÓ Como o quê? Ah, nem lembro.
EU E cadê o guia?
VÓ Que guia? Eu estava contigo agorinha no carro!
EU Não, era um argentino, grisalho e gago, bem gordinho.
VÓ Não era tu? Tem certeza?
EU Olha... Tenho! Mas obrigado.

Lá estava o guia, sentado em um quiosque comendo um picolé.

EU Oi, tudo bem? O senhor deixou minha avó passear pela "floresta encantada"?
EL GUIA Quê?
EU Lembra que comentei que ela tinha Alzheimer? Então...
EL GUIA Ah, sí, pero lo que es Alzheimer?
EU Ah, Santo Cristo! Esquece!

No último dia na cidade, tivemos que sair do hotel antes do meio-dia.

Mas tinha um problema: nosso voo era depois da meia-noite! A solução foi pegar a vó, as malas e ir para o shopping da cidade. Estávamos exaustos.

EU Que tu queres almoçar, vó?
VÓ Batata frita!

EU DE NOVO? Faz três dias que tu só comes batata frita, chega!

VÓ Ah, mas eu quero batata frita ou pastel!

EU Negativo, tu vais comer arroz, feijão, carne... Chega de fritura e porcaria! Nem eu que sou jovem aguento três dias de fritura.[14]

Depois do almoço, decidimos ir ao cinema. Minha mãe estava morrendo de sono e era um bom lugar para dormir. O horário só nos deixava com uma opção. Confesso que não lembro o nome do filme, mas lembro que havia pegação... muita pegação e sacanagem!

EU Manhê, está vendo o mesmo que eu?

MÃE Caramba, estou! A vó vai ficar perplexa com esse sexo todo!

EU Pois é!

MÃE Vó, quem sabe a gente dá uma dormidinha? Põe a cabeça para trás e descansa um pouco, ó, assim...

VÓ Eu não, quero ver o filme!

EU Só o que faltava...

A viagem seguiu com tudo na maior normalidade, graças a Deus. No retorno, um voo noturno traumático em meio a uma tempestade.

EU PAI NOSSO QUE ESTAIS NO CÉU, SANTIFICADO SEJA O VOSSO NOME...

VÓ Ai, credo, que escândalo! Olha ali, ai, Fernando, o que você está perdendo, coisa mais linda os raios!

EU PARA DE ME TOCAR, PELO AMOR DE DEUS, EU NÃO QUERO VER.

VÓ Que fiasco.

EU Mãe, tu também estás tão tranquila?

MÃE Eu estou desesperada, mas tentando não passar essa impressão para a sua vó.

A minha mãe sempre foi muito boa em demonstrar tranquilidade mesmo quando a situação é bem descontrolada. Eu, infelizmente, não nasci com essa habilidade do autocontrole. Uma pena, porque é muito importante com esses idosos especiais que tenhamos calma, mesmo quando ela não existe.

E assim finalizamos a "viagem dos sonhos de Dona Nilva".

Agora, você acha que no outro dia ela lembrava que estivemos no Paraná?

No máximo ela lembrava que tínhamos viajado, vez ou outra ainda lembrava que havíamos ido para as cataratas, mas logo já esquecia. Isso não importava, o que nos interessava era a reação positiva que isso gerou durante a viagem. As impressões emocionais que o idoso com Alzheimer tem custam mais a serem apagadas. Eles permanecem felizes, mas sem lembrar os motivos.

7. NÃO É FÁCIL

É muito importante estar sempre com um sorriso no rosto e uma brincadeira na ponta da língua, assim evitamos todo e qualquer evento que gere constrangimento, raiva ou ressentimento.

Quando minha avó esteve debilitada por conta de uma infecção intestinal, as viagens para o banheiro passaram a ser dezenas em questão de minutos, mas algumas vezes o trajeto era longo demais para a fraqueza da *nonna*. Quando eu a ajudava, perguntei se ela não poderia usar uma fralda. Ela de pronto me respondeu: "Fralda para quê?".[15]

Expliquei que eu mesmo havia usado uma a semana inteira, pois tivera a mesma infecção. Junto com isso inventei histórias constrangedoras a meu respeito envolvendo exatamente aquele cenário, tudo ao som de muita gargalhada e deboche de minha parte, insinuando que ela deveria fazer o mesmo.

EU Nem sabe, vó, não consegui chegar até o banheiro ontem. Estou com essa mesma infecção. Agora imagina o caos que foi... Ainda bem que depois comecei a colocar a fralda.

Logo isso se tornou banal para a minha avó, que topou usar a fralda. E, mais que isso, para acabar totalmente com o constrangimento, eu também coloquei uma fralda.

EU Viu, como estou?
VÓ Ridículo! E eu?
EU Ridícula!

E desse jeito ficamos ambos descontraindo a tarde toda, duas "crianças" de fralda! Estávamos ridículos, mas juntos. Sempre há uma forma de amenizar qualquer situação, basta abrirmos os olhos para as possibilidades. Você deve se perguntar "Ah, tá, e você nunca perdeu a paciência?". Perdi as contas de quantas vezes cheguei ao meu limite.

Deve existir a consciência da perda gradual da identidade por parte do idoso. A partir de certo ponto, ela não era mais a vovó Nilva que sempre fora. Nesse momento em que, sem medicação, ela passava a estar irrequieta e agressiva, era uma pessoa nova com quem estávamos aprendendo a lidar. E, como em qualquer nova relação, o tempo era o fator decisivo na adaptação.[16]

Não foi uma nem foram duas as vezes em que ela quis avançar agressivamente para cima de nós, e, se não houvesse alguém fiscalizando e distraindo a velhinha vinte e quatro horas por dia, ela saía porta afora. Daí queria ver colocá-la para dentro! Era um parto...

Agora visualize esta cena: são dez da noite, chove muito e você vê uma senhora caminhando de pantufa, roupão, tricô em uma mão e um cachorro de pelúcia na outra — o Bóris. Ao lado, vem uma moça chorando e dizendo: "Mãe, vamos voltar, vamos pegar uma pneumonia desse jeito". Então, a senhora começa a gritar com a agulha de tricô na mão: "VOCÊ NÃO É MINHA FILHA! SAI DAQUI OU EU ESPETO VOCÊ!". O que você pensaria? "Vou ajudar essa senhora", claro. Passamos por essa situação. Eu estava no banho e ouvi o início da discussão. Vovó parecia bem irritada e saiu porta afora.

No entanto, o que se passa nos bastidores é muito mais complexo e delicado do que parece. Diferentemente de uma criança, que podemos carregar mesmo aos prantos para dentro de casa, uma senhora de idade demanda certo cuidado, inclusive com a impressão que gera em público. É uma situação que foge dos padrões.[17]

EU Agora que está mais calma, vai lá no quarto dar um beijo na mãe, sua filha, e pedir desculpas por tudo que disse, o.k.? Ela ficou muito chateada, podemos fazer isso?

VÓ Tá bom.

EU Então vamos...

VÓ Rose, desculpe, filha, eu estava fora de mim. A mãe te ama muito, me desculpe.

EU Ai, que linda. Agora vamos comer pudim!

Depois de deitar e dormir algumas horas, vovó se levantou e foi novamente até o quarto de meus pais. Sentou-se na cama, com muita delicadeza colocou as mãos no rosto de minha mãe e disse: "Querida, me desculpe! Eu e nossa mãe queríamos muito que tu tivesses vindo morar com a gente. Nós te amamos muito e sentimos tua falta. É muito bom saber que estás novamente conosco. Não fica preocupada, a gente vai arrumar um emprego para ti e tudo vai ficar bem!".

Minha mãe, naquele momento, assumiu o papel de irmã da minha avó — irmã que, quando nova, havia ido para a casa das tias trabalhar como faxineira, no mesmo período em que minha avó tinha ido para a fábrica e o irmão delas, para o Exército.

Quando vovó pediu desculpas pela primeira vez, guardou a imagem da minha mãe na cabeça. Na cama, provavelmente as lembranças do passado misturaram-se às das últimas horas e esse foi o resultado. Abraçaram-se e ficaram juntas ali por um tempo. Aquela ferida havia curado para a vovó.

Mas, sim, conviver tão intimamente com a doença é descobrir limites. Essas situações devem ser controladas com a maior pacificidade possível. Descontrole do cuidador só vai gerar mais descontrole na vovó. Eu gritei e errei muitas vezes, mas com as ocorrências vamos aprendendo a lidar de forma correta com cada nova situação. Todo dia é uma nova batalha e requer novos artifícios.

Eu costumo comparar o idoso com Alzheimer a uma criança recém-nascida. Quando a criança chora, a mãe de primeira viagem entra em desespero. Minha mãe, por exemplo, me conta de algumas situações em que ela não fazia ideia do que eu queria quando chorava, então ela me pegava no colo e chorava junto. Com o tempo você vai percebendo os motivos do choro: a mamadeira, a fralda, o sono, o bico... Com o idoso atingido pela doença, é mais ou menos assim. Você aprende aos poucos a observar o ambiente. Quando ele está inquieto e demonstra que em breve vai ficar agressivo, vale olhar em volta e tentar identificar o motivo: televisão alta, fome, sede, banheiro, muita gente ao redor... Com o tempo você vai aprendendo a contornar, assim como a mamãe de primeira viagem. Quando chegava perto do meio-dia e a vó queria ir para a casa dela, eu já sabia que era fome. Quando ela pegava o cigarro e dizia que ia para casa, eu sabia que ela queria ir ao banheiro. Quando ela ficava muda, eu sabia que a presença de alguém a estava deixando desconfortável. É tudo uma questão de aprendizado e observação.

Há dias em que você acorda de mau humor e tudo dá errado. Não preciso nem dizer que esse é um péssimo dia para estar ao lado de um idoso com Alzheimer. Ele vai perguntar mil vezes a mesma coisa e teimar com as suas respostas, e se você já não está disposto isso vai estressá-lo. É uma bola de neve em que todas as emoções se juntam e acabam sufocando todo mundo. Deve-se perceber quando estamos aptos a oferecer aquela atenção e disposição emocional que o idoso demanda. Quando eu havia dormido mal e minha mãe ou meu pai podiam ficar um tempo com a vó, eu deixava, para descansar e me acalmar.

Aprendi com minha vó a importância de respeitar a reciprocidade. A reação de um será, na maior parte das vezes, o reflexo do outro. Isso vale para qualquer relação, mas com minha avó vi que para fugir dos confrontos eu devia buscar subterfúgios, como outras companhias, música, exercícios ou qualquer atividade que tirasse o foco da confusão!

O CD do Roberto Carlos ou do Julio Iglesias eram grandes instrumentos para deixá-la calma nesses momentos. Decorei todas as músicas! É até engraçado, pois volta e meia estava com meus amigos num pub cantarolando "Calhambeque, bi-bi!".

Agora você não vai acreditar. Quando o CD começava a tocar, a vó cantava todas as músicas. Dá para crer? Ela se esquecia de mim – e olha que eu cuidava dela –, mas as músicas do Roberto Carlos e do Pavarotti estavam lá na memória, intactas! Claro que eu não levava para o pessoal, seria injusto, mas é no mínimo curioso.[18]

Essas distrações são fundamentais. Palavras cruzadas, por exemplo, sempre foram uma paixão na vida de dona Nilva. Todos os dias pela manhã ela caminhava até a banca e comprava um novo almanaque de nível difícil. Com o avanço do Alzheimer, identificamos uma dificuldade gradativa.

Passamos a comprar o de nível médio e depois o fácil. Chegou o estágio em que já estávamos comprando palavras cruzadas infantis, e eu as completava junto com ela, pois a lógica dos quadradinhos já não fazia sentido.

EU Vó, que desenho é esse?

VÓ Ah, não sei.

EU É um abaca...

VÓ Um abacaxi?

EU Isso! Esse estava difícil, eu só sabia porque olhei nas respostas! Muito bem.

Outra coisa que funcionava muito bem para "mudar o foco" eram os livros. Mas não os que ela lia antes, grandes romances com diálogos extensos. Sabe aqueles cheios de imagens? Tinha um encarte de viagens, alguns atlas ilustrados e dois livros com fotos de animais que a vó adorava. Perdia horas ali, às vezes terminava o segundo e abria novamente o primeiro e nem percebia. Material visual funcionava muito bem.[19]

Mas nem sempre ela ficava sentadinha na poltrona só tricotando e fazendo palavras cruzadas. Todos os dias delegávamos tarefas para que ela se sentisse parte da casa e da família. Era importante mostrar que ela era útil — e era mesmo. Eu convidava a vó para me ajudar a estender a roupa, descascar legumes e guardar a louça. Ela ficava feliz em poder ajudar. Se algum de nós estava doente — e isso era uma coisa que dificilmente ela esquecia ao longo do dia —, ela demonstrava muito carinho e dedicava o dia inteiro aos cuidados. Fazia companhia, perguntava se queria alguma coisa e dava muita atenção. Coisa mais amada deste mundo!

Esses são alguns exemplos que funcionavam muito bem com a *nonna*, mas cada caso é um caso. Estávamos sempre buscando novas alternativas para distraí-la e torná-la parte do momento. Buscávamos saber o que ela gostava de fazer no passado, depois tentávamos trazer essa distração para o presente e adaptá-la às novas restrições. Nunca a deixávamos se sentir incapaz de realizar uma atividade — tem que ser divertido, não uma obrigação. Quando ela estava muito decepcionada por não conseguir fazer algo, eu mostrava que também não conseguia, mesmo que fosse colocar uma meia.

Assim eu justificava que aquele caso estava particularmente difícil, e que nem eu conseguia. Ou seja, o problema "não era só com ela".[20]

VOVÓ E O TRICÔ DE SEMPRE!
#FAZUMAMEIAVÓ

8. BENJAMIN BUTTON

É engraçado como a gente se lembra de algumas coisas e de outras, não.
Forrest Gump

Você já assistiu ao filme *O curioso caso de Benjamin Button*? (Caso você não tenha visto, fuja do *spoiler* dos parágrafos abaixo e corra para assistir.)

O filme conta a história de um menino que nasce com a aparência e condição de um senhor de idade, mas que ao longo da vida rejuvenesce, enquanto todos envelhecem naturalmente. Ele é abandonado na porta de um asilo, onde o criam junto com uma dezena de idosos de diferentes personalidades.[21] Lá, ele acaba sendo uma grande distração para todos, e ao mesmo tempo aprende muitas lições de vida. Uma delas: lidar com a morte.

Quando criança, ele tem limitações por viver em um corpo idoso. Sua fala está comprometida, seus ossos, frágeis, e não tem agilidade alguma. Após esse período, Benjamin fica cada vez mais jovem e viril, até o ponto em que atinge a terceira idade, com a aparência de um rapaz bonito de vinte anos. No final da vida, Benjamin já está no corpo de uma criança aventureira.[22]

Nessa fase da história, temos um senhor de idade preso na estrutura de um menininho que apresenta sintomas de Alzheimer. A partir desse momento, ele já não se recorda da vida incrível que teve nem das pessoas que conheceu pelo caminho. Há ingenuidade e inocência, e ele passa a ser dependente de alguém. A última fase da vida para Benjamin é no corpo de um bebê em um berço, de fraldas, esperando que alguém o alimente e cuide dele com toda a dedicação e delicadeza que um bebê requer.[23]

Esse é o retrato do idoso com Alzheimer na vida real. Enquanto Benjamin vai perdendo o contato com o presente e se desligando das relações recentes, ele vai reencontrando o passado físico de seu corpo. Já fora da fantasia, podemos fazer essa desconstrução relacionando o estado físico ao estado mental dos pacientes, que, conforme apresentam uma demência, vão requerendo mais cuidados, assim como crianças.

Minha avó também se desligou do presente e aos poucos se despediu das relações que um dia teve conosco, pois nos tornamos uma lembrança cada vez mais rebuscada. Era um cárcere corpóreo que a prendia ao passado, revivendo momentos em que ela já esteve e sem se preocupar com a lacuna de vida que houvera sido esquecida ou confundida. E, quando essa demência se instala na pessoa, a gente vive uma luta contra as dificuldades de ter uma "criança" de oitenta anos dentro de casa.

Janelas e andares altos, atravessar a rua, fogões, micro-ondas, banho, quinas, facas, degraus e escadas. Esses são alguns exemplos corriqueiros do que, para o idoso com Alzheimer, acaba sendo tão perigoso quanto para os pequeninos. A deformação gradativa do cérebro impossibilita esses "jovens" idosos de viverem suas vidas sem uma assistência cada vez mais assídua. Eles precisam de pais.

9. VIREI PAI. E AGORA?

É isso mesmo que você leu: de repente, virei pai da minha avó.

No início de 2013, tomei a decisão de trancar a faculdade de filosofia por dois motivos: dividir com minha mãe os cuidados com a vó e focar na empresa que acabara de abrir — uma rede de benefícios para o público jovem (veja a ironia). Depois de alguns meses, vi que não seria possível continuar com a empreitada. Eu e minha sócia estávamos no primeiro ano de empresa, ou seja, investindo tempo e dinheiro, mas o retorno ainda era uma aposta para o futuro.

A mãe era uma artesã apaixonada por seu trabalho e com uma agenda bem flexível, muito embora se desdobrasse em três para dividir os cuidados comigo. Eu não ganharia o que ela já ganhava, depois de algumas boas décadas de mercado — desculpe, mãe, falei. Foi aí que percebi que queria passar mais tempo com a vovó Nilva antes que a doença chegasse a seu último estágio. Decidi deixar também a empresa e focar na minha melhor amiga, a vó. A dependência de um "pai" era cada vez maior, e eu decidi assumir esse papel de corpo e alma para retribuir tudo aquilo que vovó havia feito por mim no passado.

Minha rotina passou a ter obrigações bem mais importantes que uma prova ou um compromisso de bar. Agora uma frágil senhora dependia da minha atenção integral. Tudo começava pela manhã, quando — bem cedo — eu acordava e ficava vidrado na babá eletrônica, esperando o momento em que ela despertaria. Assim que ela acordava, eu corria para o quarto para ter certeza de que ela não se sentiria tonta ao levantar. Depois disso era preparar o café, distraí-la até o almoço e fazer alguma coisa boa para comer.

Os gostos não eram os mesmos. Em muitas ocasiões eu preparava algo de que ela sempre gostara e ouvia: "Eca, detesto isso! Eu não vou querer". E lá íamos para o fogão preparar alguma coisa e torcer para que ela — naquele dia — gostasse do prato. Mas na maioria das vezes era

DE OLHO NA BABÁ ELETRÔNICA...
#SORRIAVOCÊESTÁSENDOCUIDADA

bem tranquilo. Prato servido, carne cortada e o mínimo de elementos possíveis na mesa, tudo para não confundi-la.

Pois bem, antes de qualquer comentário sobre o assunto, gostaria de contar uma história. Lembra quando comentei da infecção intestinal que vovó teve? Uma cena que jamais esquecerei foi quando cheguei em casa pela manhã e encontrei minha avó apática caída no chão do banheiro, enquanto minha mãe tentava levantá-la sem sucesso. Durante toda aquela semana, vó Nilva ficou muito debilitada e fraquinha. Nesse período eu e minha mãe nos revezávamos em uma poltrona ao lado da cama e ali dormíamos, levantando de dez em dez minutos para levá-la ao banheiro.

Foi numa dessas madrugadas de vigília que decidi escrever para espantar o sono. Durante minha infância, eu e minha avó trocávamos cartões de Natal, e resolvi, então, escrever uma carta. Uma carta que ela jamais viria a ler. Nesse estado quase que automático de mim mesmo, sem perceber passei a escrever e a escrever.

Vó, estou há quatro horas sentado ao pé de tua cama, guardando teu sono. Enquanto isso, no silêncio interrompido apenas pela tua respiração forte de uma fumante inveterada, reflito sobre nossos últimos cinco anos de parceria. Fui de neto a pai em um pulo! Experimentei uma vida diferente, difícil e gratificante.

É dessa forma que me enxergo hoje, como teu pai, veja só.

Quando tu dormes quero estar ali, controlando tua respiração e observando se algo te incomoda, um pesadelo talvez. Acho que todo pai tem essa sensação, de que, na nossa presençá, nada de mau te acontecerá.

Quando tu acordas preciso estar ali de novo, afinal de contas não sou pai de uma adolescente; tu ainda és um bebê. Como saberás a cor da escova de dentes? E se não lembrares onde fica o banheiro? Preciso te ajudar a caminhar, estás (des)aprendendo a lidar com esses movimentos. Levantar-se, deitar-se, caminhar... Tudo é muito difícil e demanda muito esforço. Por isso quero sempre estar ali te cobrindo com meu braço e oferecendo um impulso.

Na hora do almoço é aquela preocupação: não quero que comas apenas fritura, por favor, só um pouquinho de feijão, o caldinho.

Quando tu te recusas, faço até promessas de pai: "Se comer duas fatias de tomate, te levo no cinema hoje à tarde". E tu comes, toda animada com a expectativa da recompensa.

Quando te olho com o prato à tua frente, vejo que estás pensando — como se fosse um engenheiro em um difícil campo de obras — o que fazer para cortar aquele pedaço de carne. O papai corta para ti, aproxima-te da mesa e até babador coloca para não deixar a comida cair pela roupa. E, se deixar cair um pouquinho de arroz, não tem problema; o pai limpa.

O suco está gelado? Põe no micro-ondas por quinze segundos. Não queres comer o aipim? Tudo bem. Queres mais sobremesa? Não tem problema. Pai é pai.

Depois do almoço, aquele soninho para recarregar as energias, coisa boa quando tenho tempo de deitar contigo e cair no sono enquanto te "nino". Depois, acordamos os dois com o cabelo amassado, rindo um do outro!

Na hora do jantar o ciclo se repete; é uma nova rotina para mim.

Claro que tu tens, assim como qualquer criança, variações emocionais tremendamente desumanas. Podes começar a chorar do nada, relatando dores estranhas e até suspeitas, mas o pai vai te abraçar e ficar ali contigo até que um sorriso tímido dê sinal de vida. Não tem problema ficar triste ou até revoltada, porque todo mundo fica.

Nesse teu eterno domingo em que resolveste viver, sempre há espaço para seres fantasiosos e amigos imaginários. É como se fosse uma princesa em um castelo todo teu. Lá dentro, unicórnios galopam ao lado de cavalos árabes, anões dançam em volta do teu trono e macacos conversam enquanto tu tentas dormir. Delírio? Talvez apenas uma senhorinha vivendo a infância que não pôde ter.

Para tomar banho, um sacrifício. Mas, também, que criança gosta de interromper a diversão por uma atividade regrada, não é? Depois de muito insistirmos, eis que novamente chegamos ao trato: "Se tomar banho vai ter pudim de sobremesa, dose dupla!". Os olhinhos brilham e o aceite é dado de pronto. Mas tomar banho sozinha não é mais uma opção, é proibido. Fico ali contigo — SEM OLHAR, *não te preocupes —, mostrando para ti o xampu e o condicionador, ajudando a secar os lugares difíceis e passando talquinho no corpo. Depois disso ainda seco cabelo, penteio e passo creme nas pernas, uma jornada para a criança ficar toda bonitinha e cheirosinha. Mas não te preocupes, vó: o xampu não arde nos olhinhos.*

Para dormir é outro sacrifício. Quase sempre tenho que ficar ali abraçadinho até que caias no sono, coisa de criança mimada que tem medo de dormir sozinha. Medo do quê, meu anjo? Bicho-papão? Monstro? Ou é o passado que assombra em lapsos de lucidez? Não me importa o motivo, quando acordar o pai vai estar ali acordado, sempre pronto para um abraço forte e confortante.

Pare de te preocupar com horário disso ou daquilo, desfrute de uma infância tardia e deixe a responsabilidade conosco, teus pais. Sabemos os remédios que tomas, como gostas do leite e quando tens que receber a aposentadoria. Chega de te preocupar com burocracia, não insistas nisso e aproveites o forçado descanso que a vida lhe reservou.

Se tenho mágoas? Raiva? Ódio? Jamais. Sou privilegiado em poder desfrutar desses momentos ao teu lado. Claro que o pai às vezes perde a paciência, mas perdoe-me, ainda estou aprendendo a sê-lo. Compreenda minha situação, fui de neto superprotegido a pai megaprotetor. Tenho muito caminho pela frente antes de receber minha caneca onde estará escrito MELHOR PAI DO MUNDO, *mas já te amo como tal e isso é boa parte do caminho.*

Se te fiz chorar ou me passei, gritei e fiquei bravo, é só coisa de pai, besteira de "adulto" que às vezes está preocupado com isso ou aquilo e descarrega onde não devia.

Não tenho mágoas e espero que vás um dia para a tua jornada sem qualquer ressentimento. Sou um pai muito coruja, bem como um dia tive uma avó no mesmo estilo. E, como todo pai, um dia temos que deixar nossos filhos viverem por si. Deixá-los voar. Ai, que difícil será esse momento, quando, dos meus braços, fores ao infinito e além. Mas espero que quando esse derradeiro momento chegar, não esqueças — por mais irônico que possa parecer — que alguém um dia te amou como pai, neto e amigo, e tudo fez para que tua infância tardia fosse a melhor velhice do universo, mesmo com todas as dificuldades.

Nunca lerás esta carta, e esse é um peso que carregarei para o resto da vida, mas é um desabafo de um neto que pôde, por dezesseis anos, conviver com uma avó atenciosa, querida, dedicada, coruja e forte, uma mulher austera e poderosa que na simplicidade me ensinou tudo que sei sobre humildade e coragem, luta e perseverança. Esse neto que um dia criou como um amigo protegido em suas asas e hoje retorna em forma de cuidado.

Até mesmo marcas profundas podem ser terminantemente

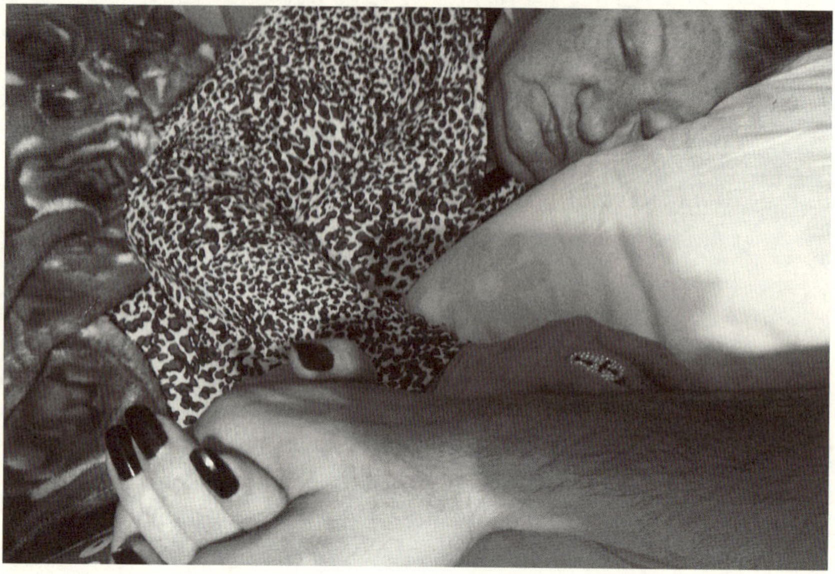

apagadas de uma vida dolorida, abrindo espaço para novas lembranças itinerantes, mas uma coisa nunca será transformada: o olhar! E cada vez que esse pai que tenho dentro de mim olha nos teus olhos, enxergo uma garotinha presa em um corpo adulto, cansado, e essa garotinha, minha filha, me olha sempre com o mesmo olhar, o mesmo olhar apaixonado e contente, satisfeito.

Obrigado por permitir que eu retribua tudo que nos deste.

Falo em nome de toda a família quando digo: Te amo, minha filha.

Há toda uma conversa dentro do espaço clínico envolvendo as diversas formas de humanizar tanto o ambiente quanto os tratamentos médicos. Mas isso pode começar dentro de casa, quando passamos a valorizar os sentimentos e a priorizar o bem-estar de nossos parentes. Nunca imaginei trocar fralda, lavar dentadura, botar babador, maquiar ou ajudá-la a se secar. Tive até que aprender a fazer as unhas — sempre rosa-choque, assim como o batom.

Encarar a palavra DEMÊNCIA é uma grande dificuldade. Desde sempre somos acostumados a usá-la com intenção de ofender colegas de escola, trabalho e parentada. Chamamos de "dementes"! Quando muitas famílias descobrem que seus avôs e avós estão sofrendo de um mal classificado como tal, a primeira reação é a vergonha. Precisamos desconstruir isso na nossa sociedade, não podemos retirar alguém do convívio social por termos uma vergonha irracional em cima de um termo mal interpretado. Tenho orgulho da minha avó, de toda a história dela E TAMBÉM do período em que ela teve uma demência e foi minha filha! Embora haja uma perda parcial da identidade do idoso, ela ainda representava pra mim o mesmo papel de sempre. Em raros lapsos de lucidez, ela me reconhecia como neto e recordava toda a nossa história, dando uma alerta: "Ei, eu estou aqui, viu?!".

No filme *Diário de uma paixão* um idoso em uma clínica de repouso lê uma história de amor para uma vovó muito atenta a todos os detalhes, curiosa e realmente interessada na história. Quando o vovô chega ao fim, ela olha pra ele e diz seu nome. Ela reconhecerá que aquela história de amor que ele acabara de contar era a história deles. Ela então o questiona sobre quanto tempo isso — a lucidez — duraria, e a resposta é chocante: "Da última vez durou poucos minutos". E no final daquele abraço, ela já não o reconhecia.

Todos os dias ele lia com o maior prazer do mundo a própria história de amor para sua amada, para que no final do dia ele a tivesse por um minuto e pudesse dizer que a amava. Me emociono até mesmo em lembrar o final desse filme, pois é disso que se trata, reconhecermos que há toda uma história de vida por trás de uma simples palavra que nos assusta, e cada segundo de lucidez ou pura insanidade vale a pena quando há amor!

Toda vez que saio e vejo uma senhora de mãos dadas com uma criança, me lembro da época em que minha avó me levava para passear, e não o contrário, como vinha sendo nos últimos tempos. Foram anos de uma relação incrível, eu jamais me permitiria pôr tudo à prova por alguns anos de dificuldade em que me ausentei, não me sentiria bem e provavelmente sofreria com o remorso. Tudo aquilo que nunca imaginei fazer, digo que fiz com orgulho.

Nada de menino iluminado ou melhor neto do mundo: apenas um neto apaixonado por uma avó muito dedicada até o final.

Quando tomei a decisão de cuidar dessa senhora sem-vergonha, fui muito criticado! Amigos e familiares diziam que eu estava perdendo uma fase importante da vida e que eu jamais a recuperaria. Pois bem, eu faria tudo de novo, e por mais tempo, se assim fosse necessário, junto com outros milhares que por aí se dispõem a cuidar de quem amam.

Todos somos passíveis de erros e, acredite, todos vamos errar. Mas tão importante quanto levantar-se de um erro é fazer isso com a intenção de não mais cair.

10. *GRAN FINALE*

Foi muito difícil escrever tudo o que você vai ler agora. Para um neto que viu a avó perder a memória, transcrever qualquer acontecimento para um pedaço de papel é como de fato torná-lo verdadeiro e eterno. Talvez por isso doa tanto.

Envelhecer pode ser uma tarefa complicada para alguns. Vovó, além de idosa, tinha uma condição especial, o Alzheimer. Essa condição impede o idoso de se queixar de uma dor, assim como torna qualquer relato bastante confuso, quando lembrado. É como se embaralhássemos todos os seus sentidos e, junto com eles, o seu vocabulário. Infelizmente, esses sintomas querem dizer algo não comunicado e que, em breve, poderá se agravar.

No caso da vó Nilva, passamos a identificar alguns sintomas e logo pensamos que fosse infecção urinária. Elas são bem comuns em pessoas de mais idade, principalmente em idosos com Alzheimer. Nada para muito alarde. Levamos a bonita ao médico e iniciamos a medicação.

EU Conseguiste fazer xixi, vovó?
VÓ Claro!
EU Doeu?
VÓ Não, por quê?

Passamos cerca de dois meses nesse vaivém de sintomas aleatórios.

Era uma noite de sexta-feira. A febre chegou a 39°C e passou a causar alguns delírios. Naquela noite ficamos de guarda, observando cada movimento. No sábado, o quadro não havia melhorado, e decidimos chamar o Samu.

A ambulância levou vovó e a mim para uma unidade de pronto-atendimento, as famosas UPAS. Em menos de quinze minutos ela já havia feito raio X, exame de sangue, avaliação médica e estava deitada em uma cama limpinha esperando os resultados.

Fiquei ali conversando com ela. Rimos muito, pois tudo que davam para ela tomar, fosse via oral ou endovenosa, ela pedia uma dose para mim também.

VÓ Para ele também, é meu neto!

EU Vó, eu não estou doente, vó, é só para ti.

VÓ Mas tem que tomar também! Moçooo...

EU Não, vó, para. Desculpe, moço!

VÓ Dá para ele também!

EU VÓÓÓÓÓ!

A gente riu bastante, até a médica responsável nos informar que ali passaríamos a noite. Confesso que achei desnecessário, afinal de contas era só uma infecção urinária. Isso era algo novo, mas tudo bem. Como eu estava cansado de toda a função, troquei de turno com a mãe e fui descansar em casa.

No outro dia bem cedinho cheguei para ficar com a minha velhinha, certo de que voltaríamos para casa. Quando cheguei lá, vi que a situação não havia melhorado. Pelo contrário, ela estava sedada e se recusava a pôr a dentadura. Eu mal entendia o que ela falava, mas isso não nos impediu de passar o dia inteiro conversando, e fiquei tentando interpretar as respostas murmuradas que ela me dava.

EU Vó, eu não entendo nada que tu falas sem essa dentadura! Parece um velho mastigando a língua!

E ela ria pra caramba.

O cenário se repetiu no dia seguinte. Cheguei com grande expectativa e estávamos na mesma situação. Agora vovó já não se alimentava, estava inquieta e não reagia a todos os estímulos, mas delirava muito. O corpo nitidamente cobrava a nicotina. Ela dizia uma coisa qualquer e, na sequência, pegava minha mão, o celular ou qualquer outra coisa que estivesse ao seu alcance para colocar na boca e tragar — 65 anos de doses nada homeopáticas de nicotina. Você deve estar se perguntando como ela não se esquecia de fumar. Cigarro não é uma lembrança, é uma dependência química e biológica. O organismo já estava acostumado a receber todas aquelas drogas e sentia sua ausência.[24]

Algo curioso sobre esse período é que, mesmo sedada e de olhos fechados, vovó pegava a borda do lençol e tricotava. Isso mesmo, usando agulhas imaginárias ela reproduzia com exatidão todos os movimentos do tricô. Eu então perguntava: "É tricô, vó?", e ela me sinalizava que sim de olhos fechados. Eu lhe dizia o quão lindo estava e recebia em troca um esboço de sorriso. O tricô era uma prática de anos, movimentos automáticos registrados muito profundamente na memória motora. Esses tricôs mostram muito claramente a degradação das cognições. Quando ela era nova, fazia casacos e outras peças de maior complexidade; depois, quando a doença surgiu, não saía nada além de mantas. Com a falta da noção de tamanho e outras referências, as mantas adquiriram formatos estranhos, estreitos e curtos. Já no final, ela produzia apenas retalhos para colchas, mas cada vez com mais dificuldade, deixando buracos e se irritando no meio do caminho.[25]

No outro dia, um novo choque de realidade. A sedação havia aumentado e a respiração estava muito, mas muito pesada. Vó Nilva tinha uma infecção urinária fortíssima, como nunca a doutora havia visto. Os pulmões e os rins pediam falência. Era necessário transferi-la imediatamente para um hospital.

Assim que ouvi o diagnóstico, me sentei ao lado da vó, segurando firme a sua mão e o choro. Eu simplesmente não sabia o que fazer. Queria saber, mas não sabia. Quantas vezes na vida me senti perdido e fui em busca de uma palavra dela? Foram tantas as vezes em que conselhos da vovó me deram um norte. E agora, a quem recorreria?

Eu estava sem esperança e sozinho, sentindo o gelado da armação da cama enquanto segurava firme sua mão. Bem nesse momento olhei para o lado e vi um grande amigo, um irmão por quem eu e minha vó tínhamos um grande carinho. Crescemos e estudamos juntos, sempre vizinhos e colegas, e minha vó fez parte de sua criação, assim como fizera da minha.

Mudos, nós nos olhamos por alguns momentos. Então eu lhe disse com a voz embargada: "Te despede da nossa vó".

Foi nesse dia que percebi que minha avó não voltaria para casa comigo.

Ser obrigado a confrontar essa possibilidade me dava nojo, medo e uma saudade insana. Mas, espera, como eu poderia pensar em uma coisa dessas?

Meus pais chegaram. A ambulância chegou. Era hora de transferi-la para o hospital.

O hospital era longe e público. "Pega o segundo desvio de chão batido à esquerda." Sério? Aquela entradinha de fazenda nos levaria ao hospital? Ao entrar nela, logo se via um prédio bonito, fundado no mesmo ano do nascimento de vó Nilva, 1934.

Quando a encontrei, ela já estava no quarto com minha mãe, encostada em uma janela que deveria ter uns três metros de altura. A vista era para uma mata, e o canto dos pássaros era o único som rompendo o confortante silêncio dos corredores.

Naquela noite, vovó não descansou. Lutava para se levantar, resmungando e buscando forças onde não havia. Eu não podia permitir que ela tirasse o oxigênio ou deixasse a veia escapar, tinha que segurá-la para seu próprio bem. Eu então dizia, enquanto chorava de olhos fechados: "Vó, eu não posso deixar que a senhora se levante. Não fica brava comigo, eu te amo e estou fazendo isso para o seu bem. Dói muito mais em mim". Céus, aquilo me matava por dentro.

Em uma dessas situações, me lembro de ter entendido: "A vó também te ama, não estou brava", como também me lembro de ter ouvido: "Me solta, vou chamar meu advogado e te processar!".[26]

Os enfermeiros ameaçaram "contê-la", ou seja, amarrá-la à cama, caso eu não a segurasse. Como permitiríamos que amarrassem minha avó como um cão a um poste? Jamais. Não a deixamos sozinha nem por um minuto sequer.

Depois de todo esse esforço ela ficava exausta, respirava fundo e suspirava. Eu então encostava minha bochecha na boca dela e sentia um estalar. Eram beijinhos.

A partir desse momento, passei a me despedir da vó cada vez que saía de perto dela, seja para ir ao banheiro ou para casa, na troca de turno. Eu lhe dizia o quanto a amava e que logo esse tormento iria passar e voltaríamos para casa. Às vezes recebia em troca um sorriso tímido, outras vezes, uma reação nas sobrancelhas e até um leve aperto na mão. "Movimento involuntário", o médico dizia. E eu tinha perguntado?

Quando cheguei em casa, depois do hospital, podre de cansado, fui direto para o quarto dela e deitei em sua cama. Ali, fiquei apático olhando para o teto, como se de alguma forma algo fosse acontecer e me acordar de um sonho ruim. Então desabei. Dizem que descobrimos nossa espiritualidade quando o avião está caindo, não é? Pois o meu estava em queda livre. Comecei uma mistura de choro com berros para falar com Deus. Não sabia o que dizer. Acho que sempre fui cristão, mas não sabia o que pedir nem pelo que esperar. Apenas cobrava os porquês: por que ela? Com uma dose gigantesca de ódio de mim mesmo, pedi que a libertasse. Pedi que a levasse e pusesse fim em todo aquele sofrimento, humilhação e dor. Não suportaria vê-la naquele estado por mais um dia. Pedi também uma prova de que ele me ouvia e a levaria sem dor. No canto do quarto escuro, o abajur acendeu e apagou. Era o sinal que eu pedira? Não sei, sinceramente não sei e jamais saberei, mas naquela noite dormi tranquilo. Driblei a morte criando uma crença.

Na manhã seguinte, tudo igual. Por que Ele não a levara na noite passada? Eu tinha recebido o sinal! Iniciei meu turno decepcionado, e esse sentimento foi se transformando em revolta. Foram sete horas sem ver qualquer enfermeira ou médico, a sonda da alimentação quebrada, o soro trancado, e ela, inquieta sem a medicação. O que fazer? Não podia sair de perto dela por causa do oxigênio, gritar não adiantava, e agora? Foi preciso que passassem sete horas para que o médico chegasse ao nosso quarto. Sete horas.

Tremia de ódio por vê-la presa naquele estado e pedi novamente uma prova de que tudo daria certo e ela não sofreria. "Bom dia", eu ouvi. Com ar de estranheza me virei e lá estava um padre. Era esse meu segundo sinal?

Quando depois de muito tempo o médico resolveu aparecer, ele gritou, me chamou de despreparado e reforçou que a paciente era dele, não minha. Disse ainda que eu poderia levá-la nas costas para outro hospital, se fosse do meu agrado.

Nunca vou esquecer quando, nos pés da cama de minha vó e ao lado da outra paciente no quarto, ele gritou: "Se você não está habituado à ideia de perder a sua avó, procure um psicólogo". Ali, me senti um lixo, um idiota e um fraco. Minha vontade era expor toda a revolta que transbordava de mim, mas lembrei que ele estava no comando. Baixei a guarda e me rendi ao "Sim, senhor", assim talvez não piorasse a situação. Felizmente essa foi a última vez que o vi no quarto.[27]

"Chega dessa situação, é desumano", eu pensava. Esse é um daqueles capítulos da vida em que tudo o que resta é esperar. Detesto esses momentos, sempre odiei esperar. O que ainda faltava? Fui até minha mãe e perguntei se ela havia liberado a vó para ir em paz. Ela respondeu: "Não". Conversamos e pedi que ela não a prendesse ali, que a liberasse com a sensação de missão cumprida e coração aberto. Eu realmente acredito nisso e tinha feito minha parte.

Mais da metade dos meus dias estava sendo ao lado dela no hospital. O que podia me distrair? Música! Durante as tardes ouvíamos nossas músicas favoritas, quase todas óperas italianas, em especial "Torna piccina mia", que com tanto carinho ela ouvia do seu pai quando nova e cantara para sua mãe, depois voltou a cantá-la para mim, e, mais tarde, passou a ouvi-la de mim.

Já estávamos naquele inferno havia quase uma semana — parece tão pouco, falando assim —, quando finalmente outro médico entrou na batalha conosco. Ele havia resolvido administrar doses pequenas de morfina para amenizar a dor de minha vó. Assim ela assumiu um semblante muito mais sereno.

Sabe quando você sente algo e não sabe explicar o que é? Eu sentia que alguma coisa ainda faltava, mas não descobria o quê. Naquele dia, um último familiar chegara de viagem para se despedir. De noite, estávamos eu e meus pais no quarto do hospital conversando, recordando e rindo... Sorri e pensei: claro, era isso, não era, vó? Todos a havíamos liberado! Ela não iria enquanto sentisse o clima pesado.

A outra paciente no quarto, uma senhora cega muito humilde, que felizmente sinto como parte de minha família e por quem sou muito grato, recebeu alta no dia seguinte, mas ela não estava com suas roupas ali para ir embora, e a filha não tinha condições de ir até em casa e voltar com uma muda de roupa. Então olhei para a sacola de minha avó. Lá estava a camisola roxa dobradinha, pronta para o momento em que fôssemos embora. Olhei para minha mãe e apenas com esse gesto nos entendemos. A minha avó não voltaria para casa. Quando essa senhora saiu do banheiro vestindo a camisola da minha avó, perguntando como ela estava com a peça, demorei um pouco para reagir. Muita coisa passava pela minha cabeça. Eu a abracei e disse: "Está linda. Nossa família fica muito feliz em saber que a senhora vai sair daqui com algo da minha avó! Obrigado por toda a ajuda que nos deu, pela paciência durante as noites, as orações nos momentos de tensão, o bom papo para me distrair o sono. Obrigado".

A outra médica do plantão, uma profissional humana, daquelas que te abraçam, veio se apresentar e contar o quanto nossa família estava tocando o coração de todos os profissionais daquele hospital. Aquilo me chocou. O que estávamos fazendo de tão extraordinário? Ela então nos disse que havia idosos com alta havia mais de mês e ninguém para buscá-los. Visitas? De vez em quando, para alguns. Como era possível ser tão impassível com o próximo? Que vida tiveram essas pessoas? Como seriam suas famílias, e quais as suas histórias? Era triste.

Ela seguiu nos contando o quanto doía para ela e o restante da equipe chegar pela manhã e ver que vovó seguia lutando sem descansar. Fazendo uma força absurda para não esmorecer, ela nos falou sobre a ortotanásia, termo que os médicos usam para designar a morte natural sem interferência da ciência, apenas com medidas de conforto para amenizar a dor do paciente. Foi o "sim" mais difícil de toda a minha vida, mas também o mais altruísta.

Com uma dose dobrada de morfina e agora sem o oxigênio, vovó espaçava cada vez mais uma respiração da seguinte.

Era um final de tarde de quinta-feira, um lindo final de tarde. O janelão estava aberto e a brisa soprava de leve os cabelos grisalhos da vovó. O sol se punha lentamente e os pássaros cantavam alinhados em uma sinfonia equilibrada. Eu segurava sua mão esquerda e a mãe segurava a direita. Olhei cada pinta e pedacinho de pele na intenção desesperada de — ironicamente — gravar cada detalhe de alguém que vi quase todos os dias da minha vida. Ela abriu os olhos azuis tão expressivos e fixou o olhar no teto. Enquanto isso, eu sussurrava em seu ouvido:

"Vó, agora a senhora vai fazer uma viagem. Eu vou com você só até uma parte, mas prometo encontrá-la depois. Tem um jardim lindo com duas estrelas e uma meia-lua. No meio de cada uma, há um monte de cravinas e um pinheirinho. Lá a tua mãe está preparando tortéi e canelone naquela máquina pesada de fazer massa, lembra? Teu pai está descendo a rua de caminhão para esperá-la e levando um monte de

paçoquinha. O jardim é a coisa mais linda, tem uma cadeira de balanço te esperando debaixo de uma árvore de caqui e de um parreiral. Para comer, tem uma infinidade de coisas boas, tem banana, moranga, polenta e pudim, de que você tanto gosta. No entardecer, as árvores dançam e os pássaros cantam. O teu macaco já está lá te esperando, junto com um monte de gente legal. Garanto que há tanta borboleta que os arbustos se colorem todos os dias de cores diferentes. É lindo lá, sei que tu vais amar, teus irmãos, tios e avós já foram e não aguentam mais a espera para que tu chegues.

"Mas guardes uma coisa, vó, tu vais na frente, mas eu vou encontrá-la um dia, pode ter certeza! Agora dorme que a viagem é longa e cansa muito! A gente te ama demais! Obrigado, vó. Dorme, dorme e fica tranquila, está tudo bem, *piccina mia*."

E, do nosso lado, embalada pela música que por anos cantou para as pessoas que amava, com uma vista espetacular, no final da tarde de 19 de dezembro de 2013, vovó suspirou de leve e dormiu, sem lutar ou sofrer. Foi simples assim. Um *gran finale* para uma grande mulher, avó, filha, irmã, sogra, amiga, melhor amiga e mãe.

11. A SAUDADE E AS LIÇÕES QUE APRENDI

Tudo aconteceu em sete dias, uma semana em que fui ao inferno e voltei. Na tarde de quinta eu tirava fotografias para o Natal, e exatamente uma semana depois estava tomando todas aquelas decisões desagradáveis.

Assim que ela suspirou pela última vez, pensei: acabou.

Parecia que a qualquer momento ela ia sorrir e se levantar, comentando alguma coisa sem noção, assim todos riríamos e voltaríamos para casa juntos.

Eu olhava para ela à espera de uma respiração esquecida ou de qualquer reação tardia, mas nada. Nesse momento me senti leve pela primeira vez nos últimos sete dias. Pude fechar os olhos sem ter medo de abri-los, poderia dormir sem medo do toque do celular, poderia acordar sem carregar o fardo de saber o quanto minha vó sofria, poderia finalmente ter certezas depois de seis anos de dúvidas.

Desde o início da doença, lá atrás, fui tomado por incertezas cada vez mais cruéis: Quando ela vai se esquecer de mim? Será que ela chegará até o último estágio da doença? Será que ela vai sofrer? Será que ficará por anos acamada? É justo? Essas dúvidas se acumulavam e invadiam meu sono, e, muito embora fossem elas a fonte de qualquer decisão já tomada — como lidar com a doença da melhor e mais alcançável forma possível —, elas ainda continuavam sendo a escória dos meus dias — essa ficou dramática, hein? Mas, pela primeira vez nessa história, havia uma certeza: fiquei leve, eu e ela ficamos leves. Nos libertamos, e pude entender o que dizem: a única certeza da vida ainda é a morte.

Continuei mudo por alguns minutos e, quando saí daquele quarto pela primeira vez órfão de minha avó e filha, me deparei com aquele mesmo amigo irmão ao fim do corredor. Nos olhamos de longe, estáticos, eu sorri e disse: "Acabou".

Se você me perguntasse sete dias antes como eu estaria dez minutos após tê-la visto partir, eu lhe diria: sem chão.

Se você perguntasse aos meus pais como eu estaria, eles diriam: distante.

Se você perguntasse a ela, provavelmente ela não lembraria a resposta, mas, enfim, por que diabos eu sorria involuntariamente?! É claro que eu estava arrasado, mas ao mesmo tempo tudo o que me vinha à cabeça era: "A gente se divertiu!". E cada lembrança engatilhava um sorriso discreto, às vezes até um pouco extravagante.

Ela não havia desistido de lutar nem por um segundo sequer, foi uma guerreira até o fim! Mas até mesmo guerreiros descansam. Sim, por mais louco que possa parecer, descansar é um direito que os outros e nós mesmos nos impúnhamos. Em muitos momentos da vida, há pessoas que dependem da nossa sobrevivência, e não temos o direito de morrer nem se precisarmos. Isso me soa muito angustiante. Minha mãe comentou que a obrigação de viver para cuidar de minha avó era a mesma que sentia quando eu era pequeno. Torna-se uma obrigação natural para o ser humano, sempre realizada com gosto, claro. Ninguém cuidaria do filho – ou da mãe, ou da avó, ou do pai... – melhor do que você, não é mesmo? Por isso sentimos, em alguns estágios da vida, que nada pode nos acontecer. Mas vovó não tinha mais essa obrigação, conseguira criar filha e neto!

Pela primeira vez eu retornava para casa com a certeza de que jamais ouviria de novo aquela risada colona que tanto me fazia bem – ainda bem que gravei! Tudo que eu dizia era: o que eu vou fazer amanhã? Antes, eu tinha uma rotina, e girava tudo em torno dela.

Chegamos em casa e fomos direto para o quarto da vovó. Lá, sim, desabamos! Cada pedacinho de metro quadrado tinha alguma história. Os batons rosa-choque, a cama em que deitávamos depois do almoço, as roupas extravagantes com padrões de animal, a poltrona em que ela tricotava, os óculos fantásticos... Cada objeto nos atingia como um tiro de realidade. "O que estamos fazendo?", pensei. Corri para a cozinha e voltei com três garrafas de cerveja. Sorri e disse: "Vamos brindar à vida da vó. Vamos tornar a passagem dela mais tranquila se comemorarmos sua vida em vez de chorarmos por sua partida. Muito do que somos herdamos dessa fofa maravilhosa. Um brinde à vovó Nilva".

ATÉ A VÓ BRINDAVA!
#BRINCADEIRA

Começamos a recordar, recordar, recordar... Quando nos demos conta, estávamos todos rindo das peripécias da vó. Era disso que precisávamos!

Choramos por aquilo que não acontecerá, em vez de celebrar e recordar tudo aquilo que havia acontecido. Existe alguma lógica nisso? Claro que eu fiquei triste por saber que ela não estaria na minha formatura, mas, sinceramente, não sei nem se eu estarei — quem viverá por tanto tempo?

Isso tudo faz parte de uma última lição de vida que minha avó tinha deixado: superar a morte. Ninguém melhor que aquela pessoa especial para fazer isso; afinal de contas, se eu consigo descobrir o segredo para superar a ausência de alguém como ela, vou ter em mãos o segredo genérico da superação.

Talvez essa seja a tarefa mais difícil na vida. Mas não existem respostas difíceis, existem perguntas idiotas. O ser humano nasce com a habilidade de olhar para o lado errado. A resposta para superar a morte não está na morte, isso seria muito óbvio. Está na vida.

Nós passamos boa parte da vida aprendendo a lidar com pessoas diferentes, tentando da melhor forma possível conviver, suportar e, em alguns casos, amar... Porém passamos o restante da vida tentando superar a perda e a ausência dessas mesmas pessoas por quem fomos cativados. O que talvez não enxerguemos é que esse é um trabalho contínuo e tem início muito antes do que imaginamos. Começamos a superar a perda no momento em que olhamos para essas pessoas pela primeira vez, o que torna a vida toda uma grande superação.

Nossa essência consiste em permitir que pessoas embarquem na nossa vida e desembarquem dela enquanto seguimos determinado caminho. Alguns descem antes e outros ficam até o final da viagem, e o nosso erro está em supervalorizar esses momentos de partida, e não a viagem em si.

Quando eu ficava por horas olhando minha vó tricotar na poltrona, eu já estava superando sua perda e nem sabia. Quando eu ia à padaria comprar aquilo que ela mais gostava para o lanche da tarde, eu estava superando a perda. Quando passávamos a tarde vestindo fraldas e rindo, eu estava superando a perda. No fim das contas, quando tudo aconteceu, eu já havia superado a sua perda. O que eu quero lhe dizer é: a vida junto dessas pessoas tem muito mais valor que o momento de sua partida. Não é esse último segundo que define toda a jornada, é a forma como decidimos viver dentro desse relacionamento que define o quão bem ou mal ficaremos após sua partida.[28]

O ser humano tem necessidade de "fazer parte". Precisamos nos sentir parte de tudo. Quando perdi meu avô, eu era muito novo, e justamente por isso fui barrado de todo o momento final, inclusive a despedida. Negar a despedida a alguém é negar a última possibilidade de nos sentirmos uma extensão daquele momento. Já com minha avó foi tudo

diferente, foram 22 anos ao seu lado em que pude participar de todas as decisões.

Você pode me julgar um otimista e achar que aposto na fé enquanto tudo ao redor é desfavorável. Ora, vamos, eu passei por coisas por que todos nós vamos passar pelo menos uma vez na vida, uma doença ou uma perda. Acredito que a diferença entre nós todos esteja na maneira de atravessar esses obstáculos e, o mais importante, de trabalhar a superação.

Vovó me deixou, mas certificou-se de que eu estaria pronto para isso, me deixando ainda o "segredo" — isso, sim, é um segredo! —, a chave para, a partir de então, superar a ausência das pessoas que eu amo. E aproveitar sua presença enquanto posso.

EPÍLOGO: A VOVÓ É UMA ESTRELA

Era início da madrugada e eu estava descontraindo com quinze grandes amigos. Cada um deles se lembrava de alguma situação envolvendo a vó, e todos nós ríamos. Então vimos o carro preto chegar. Todos ficaram em silêncio enquanto me olhavam de canto. Eu tentei fingir que estava tudo bem, mas claro que não estava. Fizeram uma corrente e me abraçaram, e eu sussurrava para mim mesmo: é a minha avó.

Esses momentos pontuais fazem com que a realidade nos atinja de uma forma muito poética e dramática, e nossa reação normal é desabar. Faz parte do show, e comigo não foi diferente. Depois disso houve uma madrugada longa, talvez a mais longa que eu já tenha passado. Eu a dividi entre rir com amigos e olhar para minha vózinha tranquila.

No início da manhã, mais e mais pessoas chegavam, e a capela começou a encher. Uma das primeiras foi a enfermeira do hospital onde estávamos. Vovó a tinha cativado o suficiente para que ela estivesse lá depois de um longo plantão. Não demorou muito, vi o médico — o bom, óbvio — entrar pela porta com lágrimas nos olhos, me deu um abraço maravilhoso enquanto eu lhe dizia: está tudo bem.

A outra médica que havia nos atendido no hospital enviara uma mensagem pela página da vó, agradecendo por termos cruzado seu caminho e desejando ótimas vibrações. Esses profissionais vivem essa realidade em seu dia a dia e, mesmo assim, escolheram a minha avó para oferecer esse carinho tão especial.

Enfim, estávamos todos lá, mas a atmosfera não era de uma despedida; era uma celebração. Aliás, a empolgação foi tanta ao lembrar os causos de vovó, que recebemos uma reclamaçãozinha da capela ao lado.

A última obrigação do cerimonial, o cortejo. Minha mãe optou por ficar na capela, e meu pai resolveu ficar com ela. Nesses momentos, quem estava sempre comigo? Minha avó. E, de novo, pela última vez, estávamos nós dois ali, lado a lado, seguindo até o local de descanso. Tudo o que eu dizia baixinho ao caminharmos era: é a minha avó. Talvez na expectativa de alguém ouvir e responder: o quê? Mas está errado, tirem a véia de lá, ela está viva!

Quando a cena se encerrou, me abraçaram e disseram: a vovó é uma estrela! Foi meu primeiro sorriso de uma nova fase que se iniciava: sim, a vovó é uma estrela!

Três dias após sua partida, sonhei com um campo de grama bem verdinha. Eu estava parado naquela imensidão, que era cortada ao fundo por uma densa neblina branca. Uma silhueta começou a se formar, e da neblina minha vó saiu caminhando em minha direção, sorrindo. Ao chegar na minha frente, pegou minha mão e seguimos na direção contrária. Paramos na beira de uma mureta que separava o campo de uma linda praia abaixo do penhasco. Ficamos ali observando o mar e a nós mesmos, ambos sorrindo sem dizer nada.

Ela veio me mostrar que estava tudo bem e me apresentar o lugar lindo onde agora descansava, talvez o jardim que eu lhe havia descrito. Acordei com cheiro de praia. Eu tinha estado naquele lugar ao lado dela, havia sido real. Foram quase oitenta anos de vida, 22 ao meu lado, seis com Alzheimer e um como minha filha "pequena".

Assim como aquele sorriso iniciou essa nova fase da minha vida, este epílogo encerra uma antiga.

Isto é muito mais que um livro para mim. A paixão que minha avó tinha pela leitura me incentivou a entrar para o meio da comunicação e escrever aquilo que apaixona as pessoas. Depois disso, a doença tornou-se uma forma de nos unir mais e transformou a escrita em um aliado dessa batalha. O veículo de informação mais dinâmico já criado, a internet, fez com que alcançássemos pessoas que estavam precisando de um bom motivo para acordar e pensar: "Eu também posso encarar dessa forma. Se eles fazem, eu também consigo".

Espero que tenha gostado e que as muitas lições que aprendi, não

só com relação ao Alzheimer, mas com relação à vida, possam de alguma forma fazer parte de um novo olhar. Pois uma vida não é medida por coisas boas ou ruins que fazemos, mas por quantas pessoas atingimos e quantas multiplicam essas atitudes. E não se preocupe comigo: minha avó não morreu, ela se multiplicou. Eu sigo firme daqui, retomando minha vida acadêmica e profissional de onde parei, mas agora mais certo dos meus objetivos.

Compartilhe suas experiências, publique na internet, envie cartas, conte sua história e aproxime as pessoas da sua realidade. Não importa por que meio ou de que forma, compartilhar a dor não é sofrer no coletivo, e sim livrar quem dela sofre!

E, como dizia a música italiana que certamente foi a trilha sonora da vida de minha avó: "Volta, pequena minha, volta pro teu papai. Ele te espera sempre com ansiedade".

Finalmente, depois de tanto cantar os versos que ouvia do pai, ela voltou aos abraços de quem tanto amava. Eu, o outro pai que por aqui fica, com a saudade e as recordações de uma avó e filha incrível, sigo cantando o verso na expectativa de um dia reencontrá-la.

E, ainda da mesma letra, "piccina mia", ele dizia: "Quando anoitece e brilham as estrelas, penso em quem sonha um mundo de felicidade, mas a minha bela estrela entre as belas, quem sabe se um dia brilhará". Ela brilhou. Brilha, vó, brilha!

Amor. Gratidão. Humor.

Obrigado.

DIÁLOGOS INESQUECÍVEIS

1. NA LOJA

CAIXA Sua senha, senhora.

VÓ Oi, não tenho senha!

CAIXA A senhora tem uma senha para compra?

VÓ Não, não tenho senha nenhuma.

CAIXA Senhora, o cartão de compras da Renner tem uma senha. Não lembra a sua?

VÓ QUE PALHAÇADA É ESSA DE SENHA? NUNCA TIVE SENHA NA VIDA, AGORA TEM ESSA PORCARIA DE SENHA E NEM AVISAM OS CLIENTES!

CAIXA A senha sempre existiu.

VÓ EU NUNCA TIVE SENHA!

Eu estava por um minutinho olhando um tênis na prateleira quando ouvi a conversa.

EU Que houve?

VÓ Nunca tive senha, agora ela está me cobrando uma tal senha do cartão!

EU É 4321, vó.

VÓ Ah, meu Deus, mais essa agora?

EU Sempre teve, vó, está escrito no cartão.

VÓ Ah, isso não é o telefone?

EU Tem apenas quatro dígitos, como seria o telefone?

VÓ Nunca tive senha. Uma palhaçada isso aí! Só pra avisar.

2.

Em uma manhã qualquer – nunca era uma manhã qualquer – na casa dos Aguzzoli, um mistério paira no ar...

VÓ ROSE, TU NEM SABES!

MÃE O quê, minha mãezinha?

VÓ Aconteceu uma coisa terrível essa noite!

MÃE Ai, meu Deus, o que houve?

VÓ Arrancaram todos os meus dentes enquanto eu dormia! Olha aqui, ficaram só três dentinhos!

MÃE Ai, mãezinha, amor da minha vida, a dentadura está aqui, ó...

VÓ Dentadura?

MÃE Sim, tiramos para fazer a higienização ontem e tu quiseste dormir sem.

VÓ Ah, bom, menos mau, né?

MÃE Que susto, mãe! Mas não precisa te preocupares, ninguém vai te fazer mal!

VÓ E como eu vou comer churrasco?

MÃE Botando a dentadura!

VÓ Ah, é claro! E cadê a dentadura?

MÃE A senhora acabou de colocar!

VÓ Ah, é?

3.

VÓ Rose, olha aqui esta foto. Eu não estou encontrando essa saia preta.
MÃE Essa foto foi tirada quando eu era pequenininha.
VÓ E daí? A saia ainda existe.
MÃE Vózinha, deve fazer uns cinquenta anos, no mínimo!
VÓ Não, ela deve estar aqui em algum lugar.
MÃE O.k., mesmo que estivesse, tu pesavas a metade do que pesas hoje...
VÓ Está me chamando de gorda? É isso, então?

4.

A vó acordou no meio da madrugada e começou a abrir todos os armários e gavetas da casa...

MÃE Que aconteceu, vó?

VÓ Perdi aquele negócio.

MÃE Qual?

VÓ Aquele da competição!

MÃE Mas que competição?!

VÓ Ai, Rose, aquele de girar, que eu tinha que guardar para a competição de amanhã, vai ter uma prova onde vou ter que usar aquilo.

MÃE Eu acho que a senhora sonhou com isso...

VÓ QUE SONHO, NADA. ROUBARAM PARA TENTAR ME DESCLASSIFICAR.

MÃE O.k. Vamos procurar, então. FERNANDO, ACORDA E VEM PROCURAR O TROÇO DE GIRAR QUE A VÓ VAI USAR NA COMPETIÇÃO DE AMANHÃ.

EU Mas que história é essa, hein? Competição de quê, vó?

VÓ Ah, uma competição lá. Não me lembro do que é.

EU E como é o negócio?

VÓ Ah, é aquilo, não sabe? Assim (e gira as mãos).

EU Quê? De que tamanho era?!

VÓ Tu não lembras? Era médio.

EU EU NÃO ESTAVA NA COMPETIÇÃO, COMO VOU ME LEMBRAR? DE QUE COR?

VÓ A cor era aquela mesma!

EU Ai, quer saber? Não vou procurar um negócio giratório de tamanho médio que tinha "aquela" cor para tu usares numa tal de competição. São três horas da madrugada, boa noite para vocês!

VÓ Rose, será que não foi ele? Não fala nada, mas ele também está na competição. Roubou para me desclassificar.

MÃE Tá, a gente procura amanhã, pode ser?

VÓ Pode. Desisto!

5.

VÓ Olha que coisa linda esse anel de esmeralda!

EU Lindíssimo! Sabe quem te deu?

VÓ Sim, a história é bem engraçada. Uma vez eu estava voltando da fábrica...

EU Já começou errado.

VÓ Vais me ouvir? O anel é meu.

EU Conta.

VÓ Eu estava voltando da fábrica, isso quando era nova, e passei por uma pontezinha em um valão. Quando olhei para baixo vi uma coisa brilhando e desci. Era esse anel. Acredita?

EU MANHÊÊÊÊ, QUEM DEU O ANEL DE ESMERALDA PARA A VÓ?

MÃE Fui eu!

VÓ Ué, ela?

EU Sim, surpresa?

VÓ E o valão?

EU Não é a primeira vez que escuto tu falares desse valão. Tudo que tu não sabes de onde veio, tu falas que encontrou nesse valão imaginário!

VÓ Não, é que me confundi. Foi nesse valão que encontrei esse cinzeiro lindo aqui, ó, agora lembrei.

EU Ah, esse de Murano, lindo e maravilhoso?

VÓ Não sei se é Murano, mas é esse mesmo!

EU EU TE TROUXE DE VENEZA ESSE CINZEIRO, VÓ, PAGUEI CARÍSSIMO, E TU TENS A CARA DE PAU DE DIZER QUE ACHOU NUM VALÃO?

VÓ Ah, foi?

EU É o fim da picada!

VÓ Bom, mas é lindo igual, e eu amei.

EU Ainda bem, né, o mínimo!

6.

A vó acordou no escuro e sentou na cama. Eu vi pela câmera da babá eletrônica e fui lá ver o que tinha acontecido. Quando cheguei no quarto, sentei de leve em silêncio, na cama ao lado dela, para não agitá-la...

VÓ NÃÃÃÃÃÃO, CUIDADO!

EU AI, MEU DEUS, O QUE EU FIZ?

VÓ OS GATOS, TU SENTASTE NOS GATINHOS?

EU MEU DEUS, EU SENTEI NOS GATOS. MÃE, MÃE, EU SENTEI NOS GATINHOS!

VÓ Ué, cadê eles?

EU Pera aí, Vó, A GENTE NÃO TEM GATOS! De que a senhora está falando?

VÓ CLARO QUE TEM, eles estavam dormindo aqui comigo!

EU BOA NOITE.

VÓ Ué.

EU Que susto, pelo amor de Deus. Tem necessidade?

7.

Eu saí correndo para a faculdade...

MÃE Ai, ai, ai, esse menino. Sempre correndo para a faculdade.

VÓ Ele está atrasado?

MÃE Sim, como sempre. Ainda quer passar no curso de inglês para ver os valores das aulas.

VÓ Curso de inglês para quê? Nunca me pediram isso. Vamos falar sério, se tu não colocares esse guri em um curso de datilografia ele não vai pegar emprego, hein!

MÃE Vózinha, isso se estivéssemos em 1950, mas nós não estamos!

VÓ Ué, não exigem mais o curso de datilografia?

MÃE Não, nem existe mais máquina de escrever, hoje em dia é só decoração!

VÓ Uééé, ainda ontem eu escrevi na minha!

MÃE Sessenta anos atrás, tu queres dizer, né?

VÓ Não, ontem mesmo!

MÃE Ah, bom!

VÓ Mas eu, se fosse tu, botava ele num curso para aprender! Depois não vai pegar emprego e vou te lembrar dessa conversa.

MÃE Tu vais me lembrar dessa conversa?! Combinado!

8.

Mãe fez a sopa preferida da vó: cappelletti. Colocou no prato e levou para ela no sofá.

VÓ O que é isso?
MÃE Sopa.
VÓ Blerg, eu odeio sopa!
MÃE TU SEMPRE AMASTE SOPA!
VÓ Eu? Está me confundindo com outra vizinha.
MÃE Tu não és minha vizinha, és minha mãe.
VÓ Quem, eu?
MÃE Claro!
VÓ Ah, bom, mas de sopa eu não gosto!
MÃE Tá bem, tá bem…

Na cozinha.

MÃE Sabes o que tua vó vai jantar, Fernando?
EU O quê?
MÃE Arroz com linguiça! Ela decidiu que odeia sopa.
EU Mas ela odeia arroz com linguiça.
MÃE Será?

Levando o prato para ela.

MÃE Ô, vó, arrozinho com linguiça!
VÓ Hum…
MÃE Tá bom?
VÓ Uma delícia!

VOVÓ CURTINDO UM BAILE DE CARNAVAL NA JUVENTUDE, ANTES DE ENCONTRAR O HOMEM DE SUA VIDA. DIZIA ELA, ISSO JÁ VÍTIMA DO "ALEMÃO", QUE ESSES FORAM OS OLHOS MAIS LINDOS QUE ELA VIU NA VIDA. ALGUMAS VEZES ELA OLHAVA A FOTO E DIZIA: "QUANDO VI EMBAIXO DO LENÇO, MEU DEUS, ELE ERA AINDA MAIS LINDO". OUTRAS VEZES, AFIRMAVA QUE O MISTÉRIO FICARA APENAS NOS OLHOS DO HOMEM FANTASIADO.

A PRIMEIRA E A ÚLTIMA VEZ QUE DONA NILVA VESTIU UM MAIÔ!

MÃE E FILHA, SEMPRE INSEPARÁVEIS.

DANÇANDO COM O GENRO!

FELIZ NO GRUPO QUE FREQUENTAVA.

VIAGEM AO RIO EM 1989 COM O GRUPO DA TERCEIRA IDADE.

NA ÉPOCA ERA SEU GRANDE SONHO, ANTES DAS CATARATAS DO IGUAÇU.

INDO PARA A ILHA DE PAQUETÁ, AINDA REALIZANDO O SONHO CARIOCA.

NO CAMINHO PARA O RIO DE JANEIRO, DEU PARA ESTICAR AS PERNAS NA PRAIA DA JOAQUINA, EM FLORIPA.

ESTE ERA O VESTIDO PREFERIDO DELA, E UMA NOITE IMPORTANTE...

... QUANDO GANHOU A FAIXA
DE PRIMEIRA PRINCESA DO GRUPO!

BUFFALO BILL!

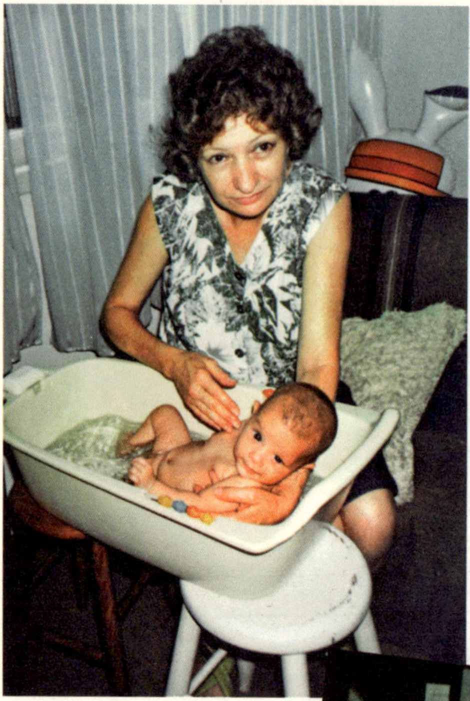

UM DOS MEUS PRIMEIROS BANHOS. QUEM DIRIA QUE MAIS TARDE EU FARIA O MESMO POR ELA!

MEU BATIZADO.

SEMPRE FUI LOUCO POR ZOOLÓGICOS, PERDI AS CONTAS DE QUANTAS VEZES MINHA AVÓ ME LEVOU PARA PASSAR O DIA POR LÁ.

NA PRIMEIRA FORMATURINHA!

NA SEGUNDA FORMATURINHA.

EM SANTA CATARINA.

ANIVERSÁRIO DE CINCO ANOS.

MAIS UMA FORMATURA... CHEGA, NÉ?

PESQUEI COISA NENHUMA...

MAIS UM VERÃO EM SANTA
CATARINA AO LADO DA VOVÓ.

ESTA FOTO EU QUE TIREI. VOVÓ E MAMÃE ME LEVARAM PARA COMEMORAR OS SEIS ANOS NO PARQUE DO BETO CARRERO!

COM A FILHA E O GENRO... A FAMÍLIA!

A MINHA ÚLTIMA FORMATURA
A QUE VOVÓ FOI, EM 2010... CARACA!

NO PARQUE DAS AVES, EM 2011, SENDO CORAJOSA!

FACEIRA!

TRÊS GERAÇÕES.

MIMANDO A "FILHA" ANTES DE NANAR.

MASSAGENS PÓS-ALMOÇO,
COISA BEM BOA!

ANIVERSÁRIO DE 79 ANOS!

ELA GOSTAVA DE BICHINHOS DE PELÚCIA...

... ELA REALMENTE GOSTAVA!

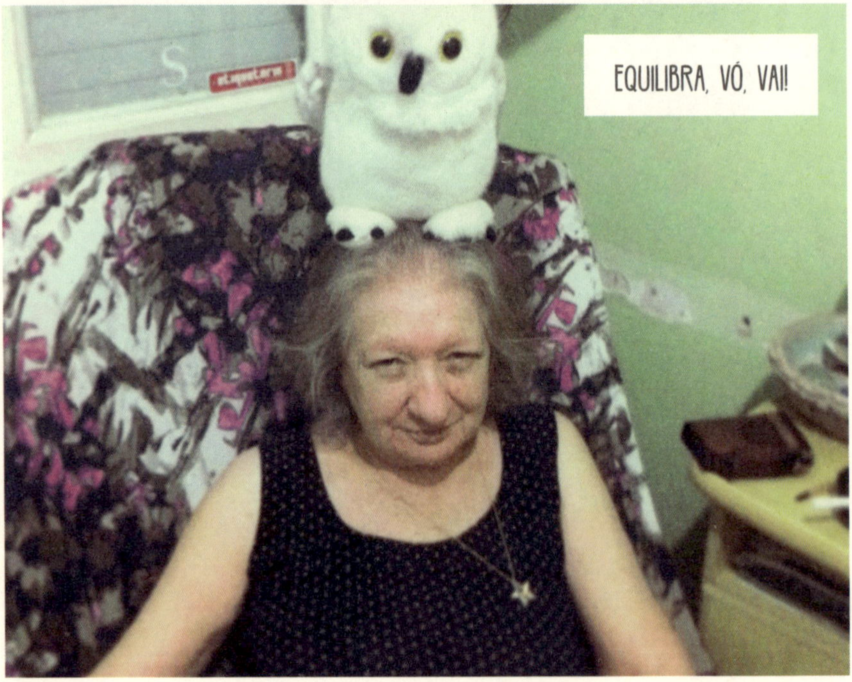
EQUILIBRA, VÓ, VAI!

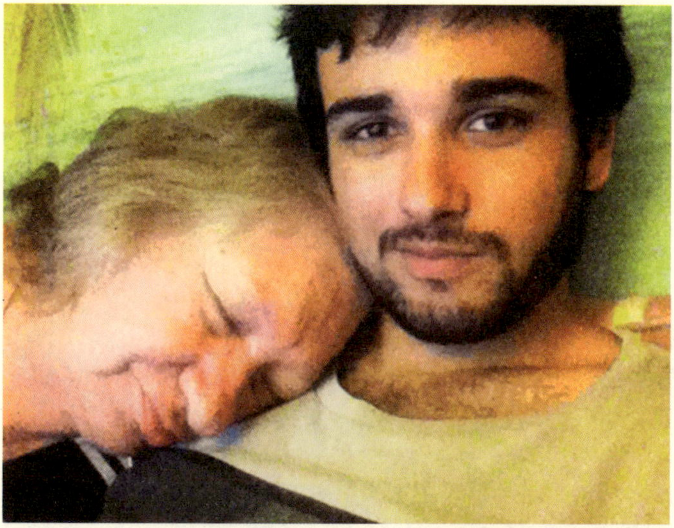

A COLEÇÃO AUMENTAVA
A CADA SEMANA.

TRABALHO CONJUNTO COM MINHA OUTRA AVÓ.

O TRICÔ EM RETALHOS ERA
UMA DISTRAÇÃO BEM SIMPLES
PARA ELA DURANTE MUITOS ANOS
CONVIVENDO COM O ALZHEIMER.

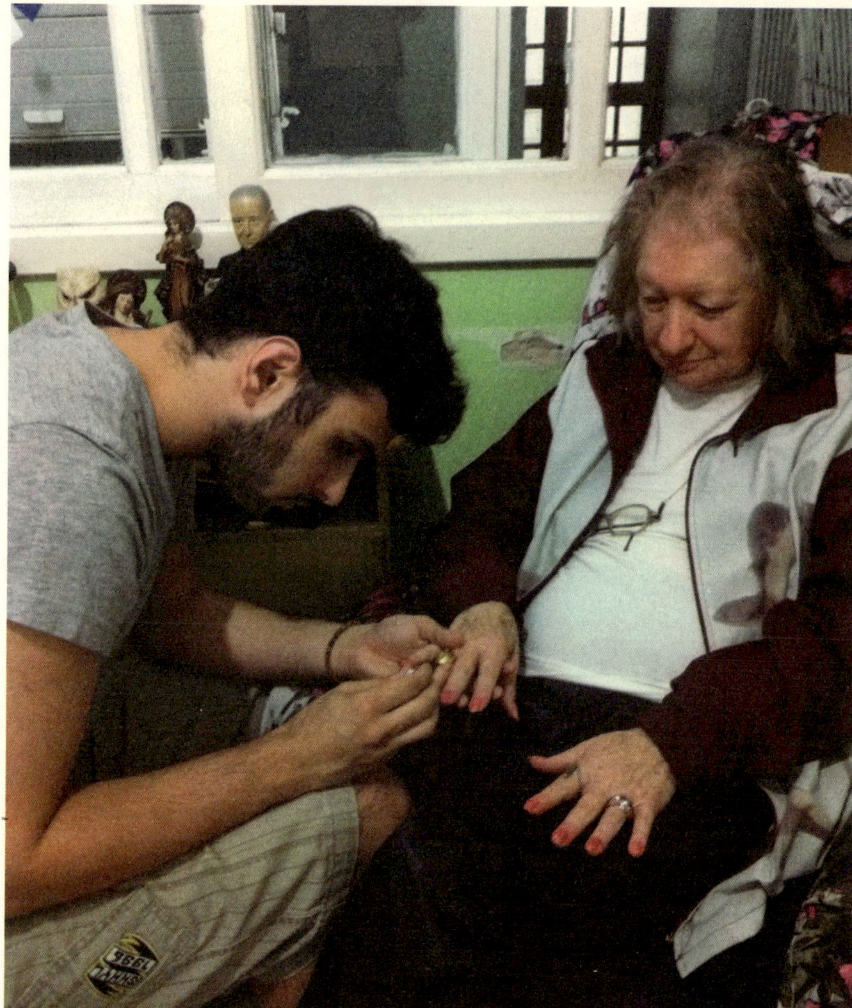

TIVE QUE APRENDER A PINTAR AS UNHAS, TIRAR ESMALTE, ESCOLHER ROUPA, SECAR CABELO, PASSAR O CREME CERTO NAS PERNAS E O CERTO NO ROSTO, PASSAR TALQUINHO... ESTOU CRAQUE!

COMO UMA BOA CRIANÇA, VOVÓ
NÃO DISPENSAVA UM BALANÇO!
JÁ EU, ADULTO QUE SOU... QUE NADA,
PASSAVA A TARDE ANDANDO COM ELA!

CADÊ A INTERNET?

FAZENDO AS COMPRAS
PARA O ÚLTIMO NATAL.

ESTE ERA O BÓRIS. EU DEI ESSE CACHORRINHO PARA A VÓ MUITOS ANOS ATRÁS, QUANDO ELA AINDA ERA COMPLETAMENTE LÚCIDA. ELE FOI UMA GRANDE TERAPIA PARA ELA, QUE, JÁ NO ESTÁGIO FINAL DA JORNADA, ACHAVA SER UM CÃO DE VERDADE. HOJE ELE ESTÁ COMIGO!

COISA MAIS ALEGRE.
FAZÍAMOS DO BANHO UMA GRANDE FESTA!
XÔ, CONSTRANGIMENTO!

BAD BOYS!

MAMÃE NOEL!

TIVE O PRAZER DE MAQUIAR, ARRUMAR E FOTOGRAFAR MINHA AVÓ PELA ÚLTIMA VEZ UMA SEMANA ANTES DA SUA DESPEDIDA FINAL, QUE FOI EM 19 DE DEZEMBRO, APENAS ALGUNS DIAS ANTES DE COMEMORARMOS O NATAL.

ELA ME AJUDOU A MONTAR O PINHEIRO, QUE, ALIÁS, TIVE QUE DESMONTAR SOZINHO E DEU UM TRABALHÃO!

NOSSA ÚLTIMA FOTO JUNTOS, PARA SEMPRE GUARDADA.

LOGO QUE MINHA AVÓ SE FOI, GANHEI ESTA FOTINHO DA MINHA MÃE. ELA ESTÁ ASSIM SURRADINHA POIS HAVIA ANOS NÃO SAÍA DO BOLSO DO CHAMBRE DE MINHA AMADA "FILHINHA". SEMPRE QUANDO EU A VIA SORRINDO E MEXENDO NO BOLSO, PERGUNTAVA: "O QUE TEM AÍ?". E ELA RESPONDIA: "É O MEU AMORZINHO!". AGORA GUARDO ESSA FOTO COM AS MARCAS DO TEMPO PARA LEMBRAR QUE, MESMO QUANDO A MEMÓRIA FALHA, MANIFESTAMOS FORMAS DE GUARDAR AQUILO QUE AMAMOS JUNTO CONOSCO... ATÉ O ÚLTIMO MOMENTO!

ESTA FOI A ÚLTIMA COISA QUE VOVÓ ESCREVEU,
EXATAMENTE UM MÊS ANTES DE SUA DESPEDIDA. NO MEU ANIVERSÁRIO,
QUANDO CHEGUEI EM CASA, ALI ESTAVA COLADO NO ESPELHO O BILHETE
QUE SE ENCHIA DE "AMOR E CARINHO" — LITERALMENTE. A MINHA MÃE A
LEMBROU, MAS A LETRA É DELA! AS PALAVRAS SÃO DELA, O SENTIMENTO ERA DELA.

9.

Em Foz do Iguaçu.

EU Vó, é bom lembrar que não pode… vó!

VÓ Ai, que susto, que é?

EU ACABEI DE TE DIZER QUE NÃO PODE TOCAR NAS AVES!

VÓ Mas que ave?

EU COMO, QUE AVE? A senhora está DENTRO de um viveiro de aves com a mão em um tucano!

VÓ Mas eu não toquei em ave nenhuma, oras!

EU Eu tirei foto, olha aqui…

VÓ Deixa eu ver… Não é um gato aquilo ali?

EU Se eu bater palma e fizer esse gato voar, a senhora vai ficar de castigo. É um tucano, vó! TU JÁ TIVESTE UM TUCANO, TU SABES COMO ELE É!

VÓ AHHHHH, VERDADE, EU JÁ TIVE UM TUCANO. Ele ficava na casinha da garagem.

EU Esse era o macaco…

VÓ Ah, é mesmo, o tucano ficava embaixo da mesa de jantar bicando todo mundo.

EU ISSO, ISSO, ACERTOU, UHU!! Agora faz o favor de não fazer carinho no tucano ou no gato, que seja.

VÓ Que gato?

NÃO É FÁCIL NÃO, VIU!

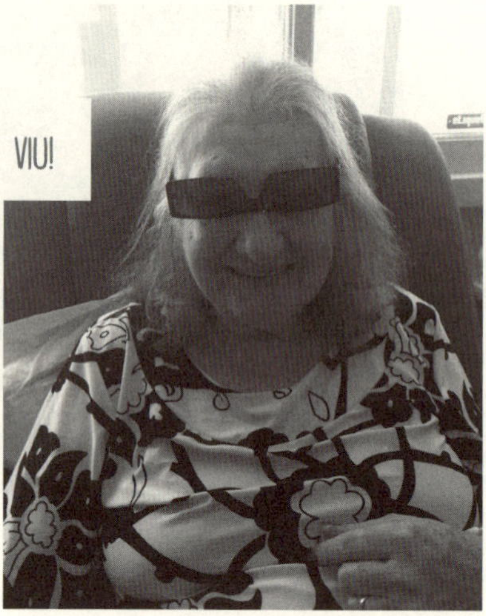

10.

A mãe, superatrasada pegando documentos, bolsa e se arrumando para levar a vovó no médico, enquanto a única tarefa da vó era colocar os óculos de sol...

MÃE Coloca os óculos para irmos.
VÓ Não dá, não consigo colocar dentro da orelha.
MÃE É para colocar em volta, e não dentro!
VÓ Pois é, mas não consigo.
MÃE São óculos de sol, tu já fizeste isso milhões de vezes!
VÓ Mas agora é diferente, não está dando!
MÃE Ai, céus, deixa eu ver... Vó, os óculos estão de cabeça para baixo!
VÓ Viu, eu te disse que não conseguia!
MÃE É só virar. Pronto, coloca.
VÓ Agora deu!

Até as tarefas mais bobas e cotidianas são agora um desafio. Mas, atenção, é importante respeitar a autonomia do portador de Alzheimer. Deixe-o – mesmo que numa extrema lentidão – tentar colocar os óculos. Secar-se, lavar as mãos. Ajude-o, mas o mais importante é supervisionar de perto.

II.

No meu aniversário, cheguei em casa e a vovó estava dormindo na poltrona com um envelope nas mãos. Fui acordá-la para colocá-la na cama....

VÓ Não vou dormir agora, quero esperar meu netinho para dar isso pra ele. É aniversário dele hoje!

EU Sou eu, vovó, eu sou teu netinho de aniversário!

VÓ Não, ele é pequenininho!

EU Era, já fui! Estou fazendo 22 anos hoje.

Ela então abre o envelope e tira uma nota de cinquenta reais.

VÓ Olha como ele é pequenininho...

EU Isso? É uma onça, vó.

VÓ Uma o quê?

EU Onça. É uma nota de cinquenta reais.

VÓ Ah, bom.

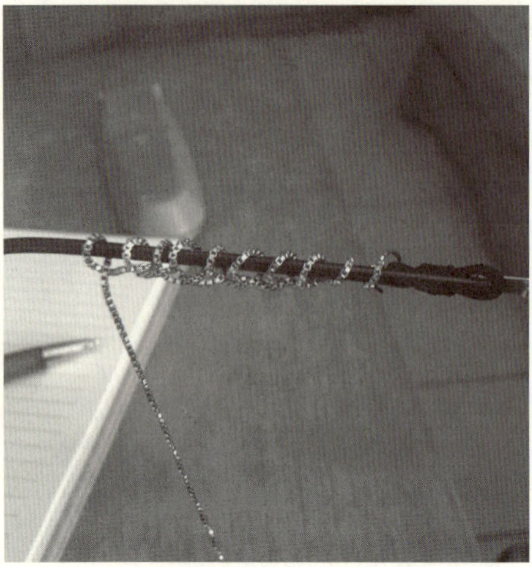

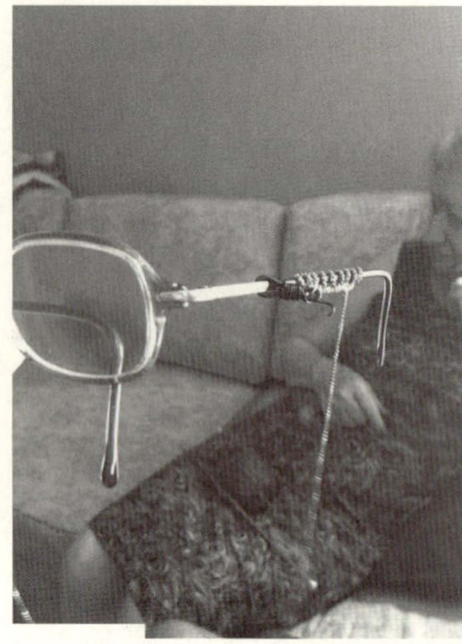

OLHA A HABILIDADE DA MOÇA! INACREDITÁVEL, APENAS.

12.

EU Vó, põe teus óculos e coloca 35 pontos para fazer o tricô.

VÓ Tá bem.

Um minuto depois.

EU Vó, o que diabos tu estás fazendo?

VÓ Colocando os pontos, como tu mandaste!

EU Sim, eu disse para colocar na agulha os pontos, não na haste dos óculos! Isso te parece uma agulha de tricô?

VÓ Não, mas sei lá o que eu estava fazendo!

EU Meu Deus, a senhora conseguiu fazer ponto de crochê na haste dos óculos de grau com a corrente que segura ele no teu pescoço? Tu és ninja, vó!

13.

Eu e vovó fomos cozinhar...

EU Tu podes quebrar esse ovo para mim enquanto eu vou fazendo o bife?

VÓ Claro.

EU Do que tu estás rindo, vó?

VÓ Fernando, vem cá, faz favor...

EU Diga.

VÓ Tem algo de muito errado com esse ovo.

EU UÉÉÉ, ESTÁ COZIDO? ERA PRA FRITAR!

VÓ Mas eu tirei ele da geladeira.

EU Ah, coisas da mãe! O.k., já temos salada! Próximo ovo, aposto cinco reais que está cozido também!

VÓ Perdeu.

14.

A vó estava desesperada procurando a tatuagem que havia feito.

EU O que tu estás procurando?

VÓ A minha tatuagem.

EU Que tatuagem?

VÓ Fiz uma tatuagem, mas agora não lembro se era nas costas ou no pé.

EU Eu não lembro disso, hein...

VÓ Fiz sim! Mas o material do cara era ruim e saiu no banho.

EU Nunca ouvi falar nisso, vó... Será mesmo?

VÓ Claro, ué! Doeu!

EU Que estranho, então, vózinha.

VÓ Mas que merda, passei por aquela dor e o troço saiu! Eram as minhas iniciais.

EU Não, pera lá, eu tenho as tuas iniciais tatuadas no meu pé. É isso que tu estás confundindo.

VÓ Tu podes ter, mas que eu fiz, fiz!

EU Iiii.... vovó radical!

VÓ Claro, me lembro!

EU Quer fazer de novo? Vamos num estúdio para fazer outra tatuagem? Quem sabe a senhora faz as minhas iniciais agora?

VÓ Pode ser!

MÃE Fernando, se tu apareceres com a tua avó tatuada, tu me pagas!

VÓ Quem, eu?

15.

Hoje de tarde a vó conseguiu o INALCANÇÁVEL! Arrumei-a toda bonitinha para pegarmos um sol na praça da Encol. Quando estamos quase lá, ela consegue pisar no quê?

EU Putz, a senhora pisou num BOLO DE CHOCOLATE, VÓ!

VÓ Onde?

EU Olha para baixo, para o teu pé!

VÓ Jesus, sujou toda a minha sapatilha. *Cazzo.*

EU CAPAZ, SUJOU ATÉ O ÚTERO!

VÓ Mas que barbaridade, quem é que coloca um bolo na rua?

EU Bá, é verdade. Mas, também, quem é que não vê uma torta inteira no chão e consegue pisar no meio dela?

VÓ Quem, eu?

EU Esquece, esquece...

VÓ Não vi, ué, mas pelo menos agora vou ficar rica!

EU É pisar no cocô que dá dinheiro! E mesmo assim, é mentira.

VÓ Mas nem sujou, olha...

EU É o outro pé.

VÓ Ah, bom, daí a coisa tá feia.

16.

VÓ Mas que hospital de merda, não limparam meu cinzeiro nem trouxeram o almoço!

EU Oi? Hospital? Realmente passou pela tua cabeça que nossa casa fosse um hospital e que limpariam TEU CINZEIRO? Que tipo de hospital deixa fumar nos quartos?

VÓ Ué, não é um hospital?

EU Claro que não.

VÓ Então vem cá que eu vou te mostrar...

Me arrastou porta afora, em direção à sala.

EU Cadê o hospital?

VÓ Ué? Mas que barbaridade, quando a gente precisa as enfermeiras somem, vou te contar...

EU Ah, vá!

17.

SE TIVÉSSEMOS CACHORRO, NÃO ESTARIA AÍ, FICA A DICA!

A vó acordou e saiu do quarto procurando alguma coisa, muito intrigada com o sumiço. Eu estava sentado na sala e fiquei quietinho só olhando.

EU O que tu estás procurando, vózinha?
VÓ O cachorrinho sumiu!
EU Nós não temos um cachorrinho, talvez seja por isso.
VÓ Não, aquele que eu trouxe!
EU De onde? Nárnia? A senhora acabou de acordar.
VÓ Mas eu trouxe aquele cachorrinho, lembras?
EU Não lembro, mas pronto, eu te ajudo a procurar.

Três minutos procurando.

EU Vó, creio que na gaveta ele não esteja, pode parar de procurar aí!
VÓ Sei lá onde meteram esse gato.
EU OI? DESCULPE, A SENHORA FALOU GATO?
VÓ É, o gatinho que eu trouxe.
EU ERA CACHORRO HÁ ALGUNS MINUTOS! Ele morfou ou evoluiu?
VÓ É o meu gato, aquele, Fernando, tu sabes!
EU Ai, esquece o gato e vem aqui ver TV comigo.

Dez minutos depois.

VÓ Sabe aquele cachorrinho que meu pai me deu?
EU Não era um gato?
VÓ Ah, bom, já nem sei mais.

18.

EU Vó, tira a dentadura para dormir um pouquinho e põe na água.

VÓ Tá bem.

Dois minutos depois.

VÓ (*sabe quando velhinho fala sem dentadura e fica a coisa mais querida? Pois é*) Vou tirar minha dentadura.

EU Mas tu já tiraste, está na caneca aí do lado.

VÓ Claro que não, amorzinho da vovó.

EU Tu só podes estar brincando, né? Tu achas que está com dentadura ainda?

VÓ Eu tô! Olha! (sorri)

EU NÃO TEM NADA AÍ!

VÓ Ai, meu Deus, claro que tem!

EU Me faz um favor, colocas o dedo nos dentes de cima então.

VÓ Tá... UÉÉÉÉÉ, CADÊ MINHA DENTADURA?

EU Como eu havia dito, na caneca!

VÓ Verdade, tu vês...

19.

Madrugada do meu aniversário. A vó acorda e vai para a sala, onde estou com um amigo que veio trazer bolo para ser o primeiro a me dar os parabéns...

VÓ Feliz aniversário, muitas felicidades, tudo de bom na tua vida e que tu sejas muito feliz!

EU Oi, oi... Vó, eu estou aqui.

VÓ Sim, eu vi.

EU Mas tu estás dando parabéns para a pessoa errada. É o meu aniversário hoje!

VÓ Não, não é!

EU Claro que é! Eu acho...

VÓ Tudo bem, tudo bem, a vó também te ama.

EU Também? Tu nem sabes o nome dele.

VÓ A vó te dá parabéns, pronto! Muitas felicidades, tudo de bom.

EU Obrigado, vó!

VÓ Que ciumento ele, né?

EU EU NÃO SOU CIUMENTO, MAS É O MEU ANIVERSÁRIO, NÃO O DELE! Que coisa...

AMIGO Eu sou muito mais legal.

EU Cala a boca, a vó me ama.

AMIGO Ela "também" te ama, só para lembrar.

EU Psss, ela nem sabe teu nome!

AMIGO Nem o teu!

EU Me ofendi.

20.

Sempre fico esperando por uma frase que vai me deixar pensativo por algumas semanas, fazendo com que eu embarque em uma viagem interna em busca de algo que não sei o que é, e de fato isso às vezes acontece e é lindo. Hoje foi assim:

EU Olááááá, bom dia!

VÓ Tô acordando para te desejar felicidades, meu neto amado, te amo demais e sou muito grata por tudo que tu fazes por mim. Te desejo muito amor e sucesso. E a gente tem um tempo para aproveitar ainda.

EU Um tempo para aproveitar? Aproveitar a vida, vó?

VÓ Um tempo...

EU Um tempo... para desfrutarmos de algo tão passageiro, como a vida?

VÓ Desfrutarmos, um tempo!

EU ...tipo a vida?

VÓ Não, por ora vou aproveitar para ir no banheiro, já volto.

EU Ah, o.k. E a vida?

VÓ Mas o que tem a vida? Mas que tanto repetes, a vida, a vida, a vida...

EU Primeira porta à direita, vó!

21.

Estou na cozinha e a vó, no quarto vendo TV. *Daí ouço uma notícia sobre um tiroteio nos Estados Unidos.*

EU Vó, o que passou ali na TV?

VÓ Quando?

EU Agora no noticiário!

VÓ Ah, tu viste? Que horror!

EU Não, eu estava na cozinha, ouvi mais ou menos, o que houve?

VÓ Uma freira.

EU Oi?

VÓ É, uma freira bateu numa guria. Elas não podem brigar!

EU Tá brincando, né?

VÓ Claro que não pode, ela é freira, ora bolas.

EU EU SEI QUE FREIRAS NÃO PODEM BATER NAS PESSOAS, MAS NÃO FOI ESSA A NOTÍCIA QUE DEU!

VÓ Foi sim.

EU Tenho quase certeza de que ouvi falar sobre tiroteio nos Estados Unidos.

VÓ Tá ficando louco.

EU Vai ver que estou mesmo.

FRIO DE CAÇAR PINGUIM.

22.

EU Que bacana que nevou em vários lugares do Sul este ano, né?

VÓ Ah, pois é, lembro a época em que caçávamos pinguins em Nova Pádua.

EU Pinguins?

VÓ É, eles se embrenhavam na mata e a gente ia caçar!

EU Pinguim? Em Nova Pádua? Caçar? Isso é jogo de sete erros, né?

VÓ É verdade!

EU Mas não tem pinguim em Nova Pádua. Apenas isso.

VÓ Mas o negócio é o seguinte, tinha um cara que vendia pinguins, só que eles fugiram e foram para o mato.

EU Ah, tem um contrabandista de animais na história agora?

VÓ Estou te dizendo, eu estava lá, pombas!

EU Deve ser muito difícil caçar um pinguim, um bicho tão, tão... ágil.

VÓ É, era complicado...

EU Complicado é te entender, vó... Isso sim!

VÓ Nunca caçou pinguins?

EU Já! Em Nova Pádua!

VÓ Lá eles também caçavam?

EU COMO ASSIM?

23.

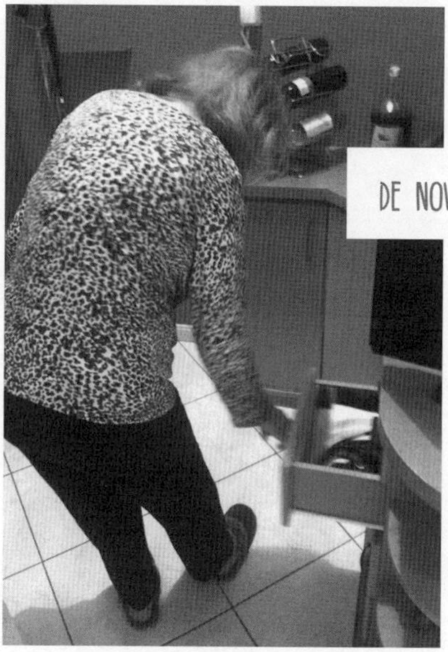

VÓ Cadê o cachorrinho?

EU Nós não temos um.

VÓ Claro que tem o cachorrinho. Tu sacaneaste e escondeste o bichinho, né?

EU Ah, claro que escondi. Eu nem sabia que tínhamos um cachorro! O último era o Buddy, lembras dele? Ele morreu no ano passado. Deves estar confundindo, vovó.

VÓ Claro que não, tu deves ter escondido para me sacanear! Seu sem-vergonha. Vou achar, tu vais ver.

Depois de trinta minutos abrindo todos os armários da casa várias vezes...

EU E aí, vó, achou?

VÓ Achei nada!

EU Nós não temos cachorro, eu te disse!

VÓ Que cachorro, tá louco? Nunca disse que a gente tinha cachorro.

EU Mas tu perguntaste por um cachorro e estava procurando ele pela casa.

VÓ Tu estás ficando caduco, Fernando. Eu estava procurando meus óculos.

EU NÃO ESTAVA, NÃO! E, nesse caso, eles estão pendurados no teu pescoço.

VÓ É VERDADE! Por que não disseste antes? Pombas, estou procurando pela casa inteira...

Cinco minutos depois.

VÓ Fernando, me diz uma coisa, e aquele cachorrinho?

EU Está no pet shop tomando banho, vó! Pronto!

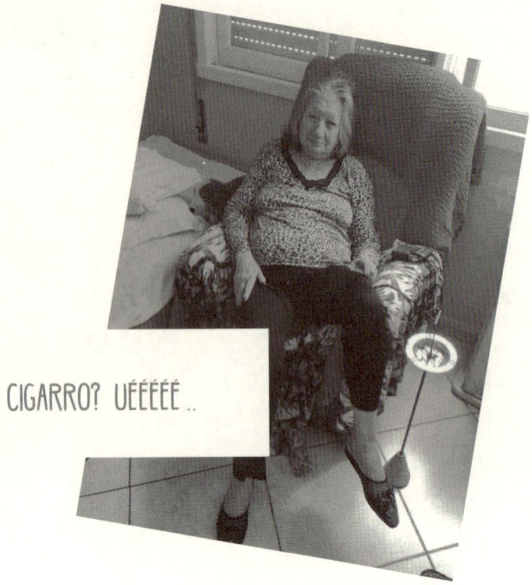

24.

MÃE Vó, por que tem bagana de cigarro e cinzas na centrífuga?

VÓ Onde?

MÃE Aquilo ali é uma centrífuga, mãe. Por que tem cigarro jogado ali dentro?

VÓ Não, Rose, aquilo é uma lixeira.

MÃE É uma centrífuga!

VÓ Iiiiiih...

MÃE Quando tu abriste, não achaste estranho ter água e roupa dentro?

VÓ Eu acho que nem vi...

MÃE A lixeira está ali do lado.

VÓ Mas tu tens certeza mesmo que aquilo não é uma lixeira?

MÃE Tenho certeza, sim! Olha aqui, tem um monte de botões.

VÓ Sim, e por isso ela não pode ser uma lixeira?

MÃE Bom, não é!

VÓ Paciência!

25.

MÃE Vai com a tua avó no supermercado enquanto eu faço um lanche para vocês!

EU O que temos que comprar?

MÃE A lista está no bolso da tua avó!

No supermercado.

EU Vê se eu mereço, vó, na lista tem banana, frango, chá... Agora, que banana, que parte do frango e que chá, ela não diz! Como vou saber? É dose, cara!

VÓ Ué, liga para ela!

No telefone.

EU Mãe, tu podes me dar uma descrição mais exata do que tu colocaste na lista?

MÃE Mas eu expliquei tudo direitinho para a tua avó!

EU NÃÃÃÃÃO, SÉRIO? E ELA ESQUECEU? COOOOOOOMO PODE? POUPE-ME.

26.

MÃE Fernando, tu não levaste o lixo?

EU Mas, mas, mas eu nem moro aqui.

MÃE É? Então vais comer na tua casa!

EU Mas, mas, mas tu pediste para eu levar o lixo?

MÃE Pedi dez vezes de manhã e durante o dia todo! Tu disseste que ia levar depois, depois, depois...

EU Mas eu pedi para a vó me lembrar!

VÓ Me tira dessa, eu tenho "alzalmer".

EU É ALZHEIMER! Tu tens AL-ZHEI-MER! E não era para ti lembrar disso também, sua sem-vergonha!

VÓ Lembrar do quê?

EU Que tu tens Alzheimer!

VÓ Quem, eu?

MÃE Fê, leva o lixo e não confunde mais a tua vó!

EU MAS, MAS, MAS ELA QUE ESTÁ ME DEIXANDO LOUCO, ELA DISSE QUE TINHA!

VÓ O que é que eu tenho?

EU Nada, vou levar o lixo!

VÓ Já compra cigarro!

EU O LIXO É NA GARAGEM! E TU TENS, ESTÁ NA TUA MÃO A CARTEIRA DE CIGARRO!

VÓ Uééé, é verdade! Nem vi!

NÃO, NÃO TEM!

27.

EU Bá, eu engordei seis quilos. Tô me sentindo trimal!

VÓ Mas tu não tens barriga, estás lindão com esse corpo esbelto!

EU Tens certeza?

VÓ Claro!

EU MANHÊ, A VÓ DISSE QUE EU NÃO TENHO BARRIGA!

MÃE ELA TAMBÉM DISSE QUE EU TENHO QUINZE ANOS!

VÓ E não tem?

EU P#*@...

28.

VÓ Eu vou fumar ali na área.

EU Está bom, vó!

Dois minutos depois.

MÃE Fê, a vó está na área dizendo que está morrendo de saudade do neto lindão. Vai ali!

EU Está com saudade de mim, vó? Estou contigo há horas vendo TV no quarto! Tu só vieste aqui fumar.

VÓ Ah, é? Mas tu não disseste nada!

EU Como não disse nada? A gente estava conversando!

VÓ Sim, ué, mas tu não disseste que era meu neto, disseste?

EU E eu preciso? É o fim da várzea eu ter que te dizer que sou teu neto, né?

VÓ E eu tenho obrigação de saber?

EU Claro, ué. Um de nós tem que lembrar!

VÓ Ah, bom, de qualquer forma eu te amo! Sendo ou não sendo meu neto.

EU Linda da minha vida! Mas eu sou, tá? Só para lembrar.

Depois a mãe veio me contar que, quando eu saí da área, ela disse:

VÓ Rose, ouve essa, ele acha que eu sou a vó dele!

MÃE Capaz, sério?!

VÓ Aham.

MÃE E será que não é?

VÓ Quem, eu? Não!

MÃE Então ele está louco!

VÓ Tadinho, mas eu amo ele também!

29.

VÓ Hahahahaha...

EU Sim?

VÓ Sabe do que eu estou rindo?

EU Não tenho nem ideia. Mas já estou com medo!

VÓ Pois então depois eu vou te contar. Esses dias eu estava na rua...

EU Já é depois?

VÓ Quê? Fica quieto e ouve a história!

EU Ui, desculpe, prossiga!

VÓ Esses dias eu estava na rua com uma guria e tu passaste do outro lado da calçada, daí ela disse para mim: "Meu Deus, que guri lindo, um dia ainda vou pegar à força!".

EU QUÊ?

VÓ É, ela disse! Disse que tu não olhavas para ela, não davas bola e ela te achava a coisa mais linda!

EU MÃÃÃÃE, A VÓ ESTÁ SURTADA!

VÓ É verdadeeeee!

EU Que guria disse isso? Tu só sais com a mãe, e ela não disse isso! Tu podes até me achar bonito, e deve, mas acho que isso foi um sonho teu, hein.

VÓ Claro que não, foi esses dias!

MÃE Do que vocês estão falando?

VÓ Estou falando de uma menina que disse que ia estuprar ele de tão lindo!

EU Está vendo, mãe?

VÓ MÃE? Essa é a Rose, não é a tua mãe!

MÃE Sou, sim!

VÓ Tu já tens filho? Não fiquei sabendo...

EU Ah, vó, não fica emburrada! Tu sabias, sim!

VÓ Bom, se eu sabia esqueci!

EU CAPAAAAAAAAAAAAZ...

30.

Vó acorda e vai para a cozinha...

VÓ Oba, pastel!

MÃE Mas é para fritar só no almoço, são nove da manhã ainda.

VÓ Oba!

MÃE A casa está uma bagunça e a Lolô está atrasada!

VÓ A Lolô vem hoje? Que bom!

EU Tu lembras quem é a Lolô?

VÓ Claro, é a governanta. E eu estou com fome, acho bom ela vir logo!

EU DESDE QUANDO A GOVERNANTA FAZ CAFÉ DA MANHÃ, VÓ? ALIÁÁÁÁÁÁS, DESDE QUANDO NÓS TEMOS UMA GOVERNANTA? É ajudante, diarista... não sei a diferença!

VÓ Entendi! Vamos comer o pastel?

EU Vó, a mãe já te disse que o pastel é para o almoço!

VÓ Está bom.

Cinco minutos depois.

VÓ Tem que tirar o papelzinho...

EU Que pap... vó, LARGA O PASTEL!

VÓ Mas tem que fritaaaar!

EU SÃO NOVE HORAS DA MANHÃ!

VÓ E daí?

EU É muito cedo para fritar pastel, tu acabaste de comer uma torrada com achocolatado. SE TU FALARES MAIS UMA VEZ NESSE PASTEL, TEU ALMOÇO VAI SER SOPA!

VÓ NÃÃÃÃO, EU QUERO PASTEL! Parei.

EU Muito bem.

Um minuto depois.

EU LARGA O PASTEL, VÓ!

VÓ Ai, que COISA! Eu ia fritar!

EU Pelo amor de Deus, ainda falta muito tempo! Vamos ver TV no quarto, vem, vem...

VÓ Mas...

EU NÃO FALA NO PASTEEEEEEEL, NÃO FALA NO PASTEL!

31.

EU Ai, que saco, meu siso está começando a me incomodar de novo, vou ter que tirar, não adianta fugir disso!

VÓ Mas, amorzinho da vovó, eu te levo para tirar, não dói nada.

EU Não!

VÓ Vai, sim. Não dói nadinha.

EU Mentira, dói horrores, muito!

VÓ Não, amorzinho, a vovó já tirou todos, não dói! Eu tenho só três dentinhos!

EU Dói, siiiiiim, impossível não doer. Vocês falam isso só para me acalmar.

VÓ Tu não acreditas na vovó?

EU Ai, não faz pergunta difícil. Acreditar eu acredito, mas sabes como é.

VÓ Estou te falando que tu não vais sentir nada, eles passam uma anestesia!

EU Tu lembras disso?

VÓ Lembro, sim. Tá, não lembro muito bem para falar a verdade. Mas eu não lembro justamente porque não doeu.

EU Não, tu não lembras por outros motivos, é diferente!

VÓ Será?

EU Sim!

VÓ Ah, então já não sei, talvez doa mesmo. Deixa aí!

EU Putz.

32.

Na mesa do almoço.

VÓ Amorzinho da vó, come essa salada.

EU Não quero, vó, obrigado!

Um minuto depois.

VÓ Come essa saladinha, ó...

EU Não, vó, não coloca no meu prato. Eu não gosto de salada!

Um minuto depois.

VÓ Lindão, quer saladinha?

EU NÃO, eu NÃO quero, vó.

Mais um minuto.

PAI Ô, Nilva, come uma costelinha.

VÓ Não, não, obrigada, comi bastante.

MÃE Ô, vó, come uma costela!

VÓ Não quero, não, obrigada.

EU Vózinha, come uma costela.

VÓ Não, obrigada. Vem cá, hein, que palhaçada é essa de costela? Eu já não disse que não quero a tal da costela, pombas?!

EU Bem-vinda!

Cinco minutos depois.

VÓ Quer uma saladinha?

EU DEU! A SALADA VAI SAIR DA MESA. QUEM QUISER SALADA PEGA AGORA!

VÓ Tu não vais pegar, lindão?

33.

EU Vai dormir já, vó?

VÓ Dormija?

EU Quê? Vai ou não vai?

VÓ Não quero mijar!

EU Perguntei se tu ias dormir!

VÓ Não, tu perguntaste se eu ia dormir já!

EU Ah, entendi! Engraçadinha. Hahaha.

VÓ Eu não vou dormir! Vou ao banheiro!

EU VIU, VAI MIJAR, EU ACERTEI! Hahaha.

VÓ Ué, está louco?

EU Mas… mas tu fizeste uma piada! Agora estou fazendo outra!

VÓ Eu não fiz piada nenhuma. Que indelicado!

EU Ai, meu deus!

Um minuto depois.

EU Tu não ias ao banheiro, vó?

VÓ Eu não, eu disse que ia dormir!

EU Eu não sei se tu me confundes para me explicar ou me explicas para confundir.

34.

VÓ Como a Angélica é bonita, né? Que olhos maravilhosos, gente.

EU Realmente, a Angélica é lindíssima, mas essa na TV é a Xuxa.

VÓ Quem?

EU A mulher na TV que tu disseste ser linda e ter olhos maravilhosos não é a Angélica, é a Xuxa.

VÓ Sim, eu sei.

EU Como assim? Tu não disseste que achava a Angélica linda?

VÓ E acho.

EU Mas, criatura, tu apontaste para a televisão, mas na televisão é a Xuxa.

VÓ Também é linda, não estou te entendendo.

EU Jesus! Esquece, linda és tu!

35.

EU Vou te mordeeeeer!

VÓ Não vai, não! Hahaha.

EU Vou, siiiim!

VÓ Não vai, nããããão. Hahaha.

EU Nhac (*mordidinha de leve no ombro da vó*)

VÓ Nhac (*abocanhada animalesca no meu pescoço*)

EU AAAAAAAAAAAAHHHHHHH!

VÓ (*início do riso histérico*)

MÃE E PAI QUE FOI ISSO?

EU A VÓ TENTOU ARRANCAR MEU PESCOÇO!

MÃE Por que ela tá rindo tanto? O que tu fizeste?

EU Eu mordi de leve o pescoço dela, ela me cravou a dentadura no pescoço e desatou a rir!

PAI Ela vai passar mal!

VÓ Foi sem querer quereeeeendo. (*continuação da risada histérica*)

EU Tu já imaginaste se a tua dentadura ficasse presa no meu pescoço?

VÓ Quase ficou!

EU E VÓ (*risada histérica*)

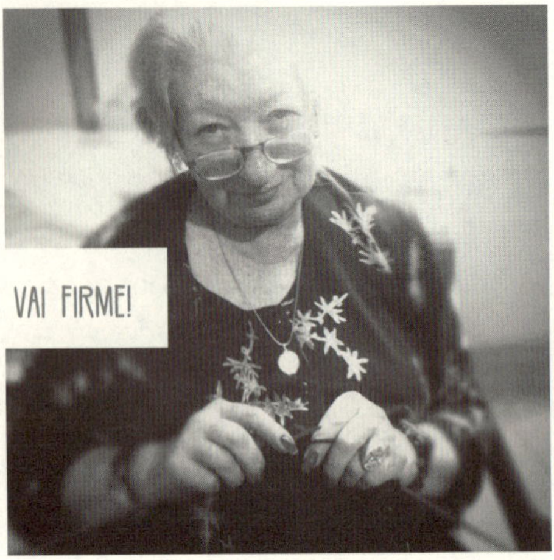

36.

VÓ Não estou gostando desse tricô.

EU Está lindo! Por que não está curtindo?

VÓ Está tudo errado, olha aqui...

EU Não está errado, a lã é mesclada em degradê, está certíssimo e está lindo.

VÓ Não, está tudo errado, ele está mudando de cor assimetricamente.

EU Quê? Eu não entendo muito, mas acho que não. Está igual aos outros.

VÓ Não. Tudo errado!

EU Para com isso, continua!

VÓ Vou ao banheiro.

EU Certo, mas pode continuar o tricô, viu!

Um minuto depois.

VÓ Esse tricô está horrível, estou errando tudo!

EU Está ótimo, eu já te disse! Tu não ias ao banheiro?

VÓ E eu não fui?

EU Não!

VÓ E eu ia?

EU Disse que ia...

VÓ Ah, então com licença!

EU Ué... Quem dera eu esquecesse de comer.

37.

EU Vó, quantos anos tu tens?

VÓ Aí tu me pegaste!

EU Tá, mas vamos brincar de adivinhação. Chuta quantos anos tu achas que tens!

VÓ Faz o cálculo, eu nasci em 1934.

EU Eu sei quantos anos tu tens, quero saber quantos tu achas que tens!

VÓ Nem sei mais!

EU Tá, mas... trinta?

VÓ Não! Bem capaz.

EU Quarenta?

VÓ Faz o cálculo, ó, eu nasci em 1934!

EU Eu sei quando tu nasceste, a gente está fazendo uma brincadeira, um jogo! Quantos anos tu achas que tens?

VÓ Eu sei lá!

EU Cinquenta?

VÓ Ah, não sei.

EU TU NÃO SABES BRINCAR, VÓ! É UMA BRIN-CA-DEI-RA! Tem que chutar, pô.

VÓ Ovalá, não tenho ideia!

EU ESQUECE! ERA SÓ DIZER UM NÚMERO QUALQUER, MAS ESQUECE!

VÓ Está brabinho, é? Coisa bem fofa dessa vó!

EU Sua linda! Vai me deixar maluquinho!

38.

No almoço.

EU Hoje acordei com uma saudade de Paris!

VÓ Ah, é? O que tu fizeste lá?

EU Como assim? Dançava em uma boate de striptease.

VÓ QUÊ? Mas tu aprendeste a dançar?

EU Ai, vó, estou brincando! Fui só passear! E para a tua informação eu sei dançar, viu!

VÓ Ah, bom.

Dois minutos depois.

VÓ Ah, esqueci de te falar! Sonhei que tu tinhas ido para Paris e me trouxeste uma foto do lado da... da... como é mesmo o nome?

EU Torre Eiffel. Mas, vó, eu acabei de falar sobre Paris contigo! Eu te trouxe uma foto dessas quando fui, deixa eu buscar no teu quarto.

Um minuto depois.

EU Olha a foto!

VÓ Que foto?

EU DE PARIS, VÓ, QUE A GENTE ESTAVA COMENTANDO!

VÓ Ah, sim, mas essa não sou eu.

EU CLARO QUE NÃO, TU NÃO FOSTE PARA PARIS, EU QUE FUI!

VÓ Então, por que estás mostrando a foto? Não entendi!

EU Tu não disseste que sonhaste que eu trouxe uma foto de Paris para ti, ao lado da Torre Eiffel?

VÓ Sim, e daí?

EU Está aí a FOTO!

VÓ Mas essa não sou eu!

EU COMO ASSSSSSSIM!??!?!

VÓ É um rapaz!

EU SOU EU!!

VÓ Mas eu sonhei que EU havia ido!

EU Ah, Jesus, esquece. Como está a polenta?

VÓ Uma delícia!

Depois do almoço ela foi para o quarto....

VÓ Fernando, sabes onde estão as minhas fotos em Paris?

EU A SENHORA NÃO FOI PARA PARIS!

VÓ Claro que eu fui!

EU Então depois eu pego as fotos!

VÓ Obrigado!

Ela nunca esteve em Paris.

NO CASO, ESTA ERA A FOTO.

39.

VÓ *(voz de criança e cabelo bagunçado)* Acordeeeeei!!!

EU Aleluia! Tu dormiste bastante, hein?

VÓ Vou voltar para a cama, ainda está noite!

EU Não é que "ainda" está noite, tu foste deitar às duas da tarde e só acordaste agora, às sete e meia! Agora sim é hora de deitar.

VÓ QUEM, EU? Capaz!

EU Verdade, criatura, é início da noite.

VÓ Putz, e como eu vou dormir de noite? Vamos dar uma caminhada na rua.

EU Ai, céus. Espera que vou botar um tênis então.

Cinco minutos depois.

EU Pronto, vamos!

VÓ Vamos aonde? Já é noite, não dá para sair. Já tem até vândalo na rua a essa hora.

EU Quê? Vândalo é a senhora, que está me enlouquecendo!

VÓ Vamos fazer ginástica!

EU Agora já tirei o tênis, vou fazer tua comida e deu!

VÓ Mas que horas são? O sol nem nasceu!

EU O SOL RECÉM SE PÔS, SÃO QUASE OITO DA NOITE!

VÓ *Cazzo*, e eu dormi o dia todo!?

EU Siiim!

40.

VÓ Sabes onde está a minha mãe?

MÃE Mãezinha, a vó morreu cinquenta anos atrás!

VÓ Não, eu falei com ela hoje! Ela estava cuidando da minha avó!

EU Credo, tu estás desenterrando toda a família! Se tu tens oitenta anos, teu irmão tem noventa; tua mãe, se estivesse viva, teria 120; e tua avó, 150. Já pensou?

VÓ Não, italiano vive muito! Ela vive na Itália, aliás.

EU Quem vive na Itália?

VÓ Minha bisavó mora lá, minha vó mora aqui com minha mãe.

EU Tua bisavó está viva também?

VÓ Claro que está! Mãe, vó e bisavó!

EU Então a gente morreu também, porque é meio que completamente impossível elas estarem vivas, tua bisavó teria uns 180 anos, Jesus!

VÓ Capaz, faz o cálculo, minha mãe nasceu em...

EU Tua bisavó deve ter nascido uns dois séculos atrás!

VÓ Bá, então eu estou perdida!

EU Não, só esqueceu! Normal, eu também esqueço.

VÓ Mas mesmo assim eu vou confirmar com a minha mãe se elas morreram.

EU Tua mãe? O.k., o.k., daqui a pouco ela vem aqui. Quer ver um filme?

41.

EU Que diabos tu estás fazendo, vó?

VÓ Abrindo o cigarro, o que parece que estou fazendo?

EU Me parece REALMENTE que tu estás abrindo o cigarro.

VÓ Sim, e?

EU E por que em nome de DEUS tu estás fazendo isso? Me dá uma boa explicação, por favor.

VÓ Ficou doido? Para fechar, claro!

EU Te escuta, vó, o que tu estás fazendo?

VÓ ESTOU ABRINDO O CIGARRO PARA FECHAR.

EU Ouve o que tu estás dizendo.

VÓ Estou abrindo o cigarro para fechar.

EU E?

VÓ E isso não fez nenhum sentido. Estraguei um cigarro, merda.

EU Amém!

42.

VÓ Tu estás melhor, amorzinho da vovó?

EU Febre ainda, vó.

VÓ Queres alguma coisa?

EU Quero um mil-folhas, mas não tem!

VÓ Eu vou lá comprar.

EU Ah, vá, claro que vai!

VÓ Ué, vou sim, onde é?

EU Faz assim, sai do edifício e vai para a direita, depois vira na primeira rua à esquerda, segue reto por uma quadra e vira a primeira à direita, daí tu vais enxergar a padaria!

VÓ Ah, eu vou perguntando!

EU CLARO QUE NÃO VAIS! TU NÃO VAIS VOLTAR NUNCA MAIS E AINDA POR CIMA PERCO A VÓ E O MIL-FOLHAS!

VÓ Acha que eu sou louca, é?

EU Claro que não, só acho que tu estás um pouquinho esquecidinha.

VÓ Vou lá comprar para ti.

EU Vó, qual o teu telefone?

VÓ Não lembro!

EU E teu endereço?

VÓ Iiih... não lembro!

EU Tua idade?

VÓ Sei lá...

EU Nome do teu genro?

VÓ AH, ESSE EU SEI, VALDIR!

EU Não, Valdir é teu irmão, teu genro é o Paulo!

VÓ Ah, bom.

EU Aonde tu ias mesmo?

VÓ Na cozinha buscar algo para comer, não era?

EU Claro, isso mesmo! Vou te ajudar.

VÓ Ah, mas antes vou na padaria para ti!

EU Putz.

43.

EU Vou ali no bufê, quer alguma coisa?

VÓ Quero mais moranga!

EU Pronto, peguei duas para ti.

VÓ Obrigado, fica com uma, toma...

EU NÃÃÃÃÃÃO, EU ODEIO MORANGA, TENHO PAVOR!

VÓ Capaz, é tribom.

EU O.k., mas obrigado, não vou querer!

VÓ Está uma delícia, experimenta, ó...

EU VÓ, NÃO COLOCA A MORANGA NO MEU PRATO, DETESTO ESSE TROÇO!

VÓ AI, QUE NOJENTO, pega só esse pedacinho para ti...

EU PELO AMOR DO BOM DEUS, EU TENHO PAVOR DE MORANGA! Vou pegar talheres que esqueci, já volto!

VÓ O.k.

EU VÓ, O QUE ESSA MORANGA ESTÁ FAZENDO NO MEU PRATO!?!?!?!?!?!

VÓ Botei para ti um pedaço, está uma delícia!

EU Ai, perdi a fome!

VÓ Não sabe o que está perdendo!

EU Além da paciência? Hahaha...

44.

EU VÓ, TEM ÁGUA AÍ NO QUARTO?

VÓ NÃO, ÁGUA É NA COZINHA!

EU EU SEI ONDE SE PEGA ÁGUA, ESTOU PERGUNTANDO SE AÍ TEM UM COPO COM ÁGUA PRA TU TOMARES TEU REMÉDIO!

VÓ NÃO TEM, PEGA NA COZINHA QUE LÁ TEM!

EU EU SEI ONDE PEGAR A ÁGUA, VÓ!

45.

EU VÓ, PASSEI NO VESTIBULAR!

VÓ PASSOU? EU SABIA QUE TU IAS PASSAR, SEMPRE SOUBE! PARABÉNS, MEU NETINHO!

EU Estou brincando, vó. Tu já sabias que eu havia passado, estou no segundo semestre, inclusive!

VÓ Ah, seu safado! Está fazendo o quê?

EU Faculdade!

VÓ Isso eu sei, mas vai ser o quê? Médico? Advogado? Economista?

EU Não, vai tentando...

VÓ Jornalista? Publicitário? Enfermeiro?

EU Filósofo! :)

VÓ Filósofo? Eu tenho outro neto?

EU Pô, valeu, vó :(

VÓ Tudo bem, eu posso voltar a trabalhar!

EU Meu Deus do céu, tu estás falando sério? Relaxa, vó!

VÓ O importante é que nos amamos, né? Dinheiro só paga remédio, comida, casa, contas... essas coisas desnecessárias.

EU É, pensando por esse lado a gente está ferrado!!

VÓ Estou brincando, meu lindão!

EU Não, não, agora estou preocupado.

Continuo na filosofia... e preocupado!

46.

VÓ Deixa essa massa aí, vamos ali em casa que a mãe deve estar fazendo comida, desliga o fogão.

EU Vó, tua mãezinha não está lá!

VÓ Ah, Meu Deus, ela saiu?

EU Tipo isso!

VÓ Ela nem me avisou, não gosto que fique andando sozinha por aí!

Massa pronta.

EU Ó, teu prato. Mas já aviso que está uma droga.

VÓ Eu não achei.

EU Jura?

VÓ Não está aquela coisa! Mas está salgado demais para mim. Quem sabe a gente dá um pulo ali em casa para comer? É logo ali...

EU Mas tua mãe não está em casa, lembra?

VÓ Acabei de vir de lá! Ela estava na cozinha fazendo massa também. Eu acabei de entrar aqui, tu não viste?

EU Ah, éééééé? Não vi! Que distraído que eu sou.

VÓ Acontece.

EU Mas vamos comer essa massinha mesmo, depois vamos na tua mãe tomar café.

47.

Vó, no centro hoje comigo e com a mãe, esperando a lotação João Abott...

VÓ Olha a lotação! Vamos, vamos.

MÃE Não, vó, não é essa!

VÓ Ai, Jesus... Olha lá, outra, é aquela, vamos lá rápido!

EU Vó, não é aquela também. A nossa vai parar aqui. Espere.

VÓ Ó, estão vindo duas lotações, vamos lá.

EU Vó, não são essas. A nossa vai parar aqui!

VÓ Ali tem uma lotação, ó, é aquela!

EU MELDELS DO CÉU! A nossa vai parar aqui, vózinha!

MOÇA Querido, quantos anos ela tem?

EU Pelo visto, oito!

VÓ Que oito, o quê, ele está brincando!

EU EU ACHO QUE ELA SABE QUE EU ESTOU BRINCANDO, apenas desconfio!

VÓ Eu tenho cinquenta.

EU Ah, mas não tem MESMO! Tem 79.

VÓ Quem, eu?

EU Sim, vó!

MOÇA Tu és neto dela?

VÓ Primo.

EU Claro, primo. Nós só temos sessenta anos de diferença, né? Se eu fosse teu primo por que diabos eu te chamaria de VÓ?

VÓ Eu sou tua vó?

EU Bingo!

VÓ Essa é nova.

EU Sempre é. Ué, cadê a moça?

VÓ Que moça? Não vi ninguém.

48.

EU Viu, vó, que barbaridade, ATÉ O PAPA é mais novo que tu!

VÓ Bem capaz! Quantos anos o João Paulo tem?

EU Bá, esse já deve ter mais de cem!

VÓ Então, eu sou mais nova!

EU Claro, só que ele já morreu. Estamos no segundo depois dele.

VÓ Gente, foi mal noticiado isso, eu não lembro de absolutamente nada! E quantos anos ele tem?

EU 76.

VÓ Então, ainda é bem mais velho que eu!

EU Ah, sim, vó, porque tu és uma noviça adolescente iniciando o Ensino Médio e aprendendo balé, né?

VÓ Não, mas eu estou ali pelos cinquenta e poucos.

EU CLARO QUE NÃO! Tu tens 79! Tua FILHA tem 54.

VÓ O QUÊ, EU? CAPAZ. CALCULA AÍ, NASCI EM...

EU 1934, eu sei! Tu tens 79 anos, vó.

VÓ Meu Deus, como eu estou veeelha! E o papa tem quanto?

EU 76, vó!

VÓ E eu?

EU 79, vó.

VÓ E o papa tem cinquenta?

EU NENHUM DE VOCÊS TEM CINQUENTA ANOS, TU TENS 79 E O PAPA FRANCISCO TEM 76.

VÓ Iiiiih.... Tem coisa errada aí!

EU MUITA!

49.

Vó olha para mim sorrindo e fala com voz de criança:...

VÓ Cadê meu companheiro?

EU Estou aqui, vovó! Que amor!

VÓ Não, meu cigarro, cadê meu cigarro!? Tu és meu companheiro também, mas quero meu cigarro!

EU Putz, está ali na mesinha.

VÓ Obrigado, amorzinho da vovó.

A REAÇÃO DELA DIZ TUDO: QUÊ? 79? EU?, FOI O QUE ENTENDI.

50.

EU Vóóóóóó, daqui a treze dias vais completar 79 anos. Tens noção do que isso significa?? Quase oitenta.

VÓ Quem, EU? FICOU LOUCO? Meu Deus. Mas eu ainda tô... tô...

EU Está o quê, vó? Gostosa, né, porque a lucidez já abandonou o barco faz tempo! Hahaha.

VÓ É, mas ainda tenho caldo para gastar! Me diz uma coisa, quantos anos eu tenho?

EU Agora 78, mas vai fazer 79 logo.

VÓ Viu, ainda dá para dar uma canseira neles!

EU Meu Santo, prefiro não saber quem são "eles".

VÓ Os homens. Se bem que de homem estou farta, não quero mais, só queria engravidar, que pena.

EU ESTÁS LOUCA? TU QUERES PULAR PARA A PIOR PARTE? O sexo que é a parte boa, não a gravidez!

VÓ Mas sempre quis ter filhos.

EU E tem. Se eu sou teu neto, significa que tu tens filhos!

VÓ Ah, é. Então está bom, se tu és meu filho.

EU Neto, eu sou o neto. Mas tudo bem!

51.

VÓ Ô...

EU Só o que me faltava, esqueceu meu nome de novo?

VÓ É. Esqueci.

EU Fernando, vó!

VÓ Me fazes um favor? Vais ali ver se o gnomo deixou a cozinha desarrumada.

EU DE NOVO A HISTÓRIA DO GNOMO? TU ESQUECES MEU NOME E NÃO TE ESQUECES DA PORCARIA DESSE GNOMO? Só falta ver unicórnio na sala também! Benza Deus.

VÓ MAS CLARO, UÉ, o gnominho! Já disse. Uma vez num armazém ele veio falar comigo, bem velhinho, mas do tamanho de uma criancinha. Depois ele começou a ir lá em casa com roupa verde e dançava para eu rir!! Agora ele começou a vir aqui pegar comida de noite.

EU Tu sabes que tu descreveste um *leprechaun* irlandês, não sabes?

VÓ Que lepre... É UM GNOMO!

EU Sério, vó? SÉRIO, VÓ?

VÓ Tu não viste? Ô, ROSE, vem aqui!

ROSE Sim?

VÓ Sabe se o gnomo...

ROSE DE NOVO O GNOMO?

EU Pela descrição dela é um anão ninja assaltante ou um gnomo de programa. Ele dança para ela, mas leva a comida! Hahaha.

52.

EU Vó, tu estás fumando mais de uma carteira de cigarro por dia! É muita coisa, além de ser um gasto tremendo que podia ser investido em outra coisa. Reduz o cigarrinho!

VÓ Mas é o gnomo.

EU QUÊ? Ai, JE-SUS. Agora vai delirar?

VÓ Tem um gnominho que todos os dias de noite sobe pela varanda e fica dançando para me divertir aqui na sala, adoro ele!

EU Vóóóóóóóó, não existem gnomos... eu acho.

VÓ Então dorme aqui hoje para ver!

EU EU NÃO, a melhor das hipóteses é que tu estejas delirando, porque a outra é um anão de touca preta lutando artes marciais e pulando as janelas do prédio!

VÓ Que palhaçada, é meu amiguinho.

EU E ele fuma o cigarro que EU E A MÃE compramos para ti?

VÓ Sim!

EU Eu vou dormir aqui e vou esperar ele com uma escopeta na janela. Vou cortar os gastos HOJE!

VÓ NÃO VAI, NÃO!

53.

VÓ Bom, passei o dia todo aqui, agora vou para casa porque minha mãe já deve estar preocupada.

EU Para encontrar a tua mãe ainda falta um tempo, se Deus quiser!

VÓ Capaz, ela e minha irmã estão me esperando ali em casa.

EU Não, vó, a bisa morreu já faz cinquenta anos. E digo mais, tua irmã também!

VÓ QUÊ? ESTÁ LOUCO???

EU Pois é, vó, tudo verdade.

VÓ *Ma che cazzo*. E a tia Jandira, tio Kiko... o tio Leo!?

EU Sim, todos!

VÓ E teu vô?

EU Qual deles, vó? Bom, tanto faz, os dois morreram também.

VÓ Mas, gente, eu sou a última?

EU Quase isso, vó.

VÓ Viu como eu sou forte?

54.

EU Ai, vó, CHEGA DESSES BOLEROS CAFONAS, DESLIGA ESSE RÁDIO JÁ!

VÓ QUÊ? CAFONA? CAFONA É TUA VÓ!

EU Tu és minha vó.

VÓ ENTÃO É TUA MÃE, ORAS!

EU Minha mãe é tua filha.

VÓ Vai te catar.

55.

VÓ Me disseram que tenho que ter dez filhos.

EU A Lolô que te disse isso?

LOLÔ Ah, pronto, agora vão achar que foi a empregada! A "empregada" está levando a vó para o mau caminho, vão dizer. Eu só tenho sete, não fui eu!

EU Que é isso, vó? Desiste! Já tem filha e está com oitenta anos, daí não sai mais nada. A fábrica fechou.

VÓ Ah, é? Então posso fazer sem preocupações?

EU Vó, desde quando temos essas conversas? Maldita intimidade. Claro que terás a preocupação, não de engravidar, mas de com quem fazer, porque nessa idade não está fácil arrumar alguém para praticar esse tipo de esporte, que exige tanto esforço físico e disposição!

VÓ Com essas pernas? Acho que consigo, hein...

56.

MÃE Daí tínhamos aquela cachorrinha linda, a Diana, e uma vez uma guria idiota jogou a Diana lá do primeiro andar, que ódio que fiquei, dei tanto na cara daquela guria!

VÓ E o que aconteceu depois? Não lembro...

MÃE Morreu, né, mãe. Lembras que enterramos no pátio de casa?

VÓ O QUÊ?

MÃE Sim, estava toda machucada, coitada, morreu. Acabamos enterrando ela no pátio de casa!

VÓ TU MATASTE A GURIA E ENTERRASTE NO PÁTIO? QUE CASA ERA ESSA?

MÃE NÃÃÃÃO, MÃE. A CADELINHA DIANA MORREU! A guria só apanhou um pouco!

VÓ Ela matou a Diana?

MÃE Sim, jogou do primeiro andar do prédio!

VÓ Mas devia ter dado uma surra nela!

MÃE Eu dei!

VÓ Muito bem.

57.

VÓ Já vais?

EU Sim, estou indo e já atrasado por sinal.

VÓ Vais dar aula hoje de novo?

EU Não tenho bem certeza se já dei aula, mas acho que não, hein!

VÓ Ué, mas tu não és professor?

EU Olha… Nunca fui. Faço faculdade e estou no segundo semestre ainda. Aliás, mesmo formado não darei aula.

VÓ Ué, então não estou entendendo!

EU O que tu não entendes, vó?

VÓ Se tu não és professor, e és aluno… Por que estás com pasta de couro e não de mochila?

EU Ué, mas não é condição obrigatória para ser aluno usar mochila, como não é para professor usar pasta de couro!

VÓ Tudo bem, então!

EU Beijos, vó, vou indo!

VÓ Boa aula, dá uma dura nessa gurizada!

EU Mas eu não sou prof… tá, pode deixar!

58.

UÉÉÉÉ

Indo para o escritório, quando...

VÓ Tu já vais?

EU Sim, vó, atrasadinho.

VÓ Vais deixar teus amigos dormindo ali no porão?

EU Oi?

VÓ É, teus amigos estão ali dormindo no porão!

EU MEU DEUS, vó, quem é que colocou eles lá?

VÓ Não sei, cheguei lá e estavam todos dormindo no chão.

EU Será que estão mortos, vó?

VÓ Ué, acho que só estavam dormindo! Vai lá ver logo!

EU Eu vou, eu vou... Espera, vó, a gente não tem um porão!

VÓ Claro que tem! Lá embaixo.

EU Eu sei onde fica um porão, mas nós não temos um. Aliás, nós nunca tivemos um porão, vó, isso é um apartamento.

VÓ Ah, tá, então vem cá que eu te mostro.

Vó levanta, abre a porta da frente e...

VÓ Ué, cadê o porão?

EU Deu, vó? Chega? Hahaha.

VÓ Ah, sei lá. Mas que tinha, isso tinha! Decerto foram embora!

EU É, vó, e levaram nosso porão junto!

VÓ Sacanagem.

59.

VÓ Como tu és lindão. Se tu não fosses meu primo...

EU Pois então, eu não sou. Sou teu neto e, mesmo assim... credo!

VÓ Neto? Filho de quem?

EU Sim, neto, por isso que te chamo de vó. Sacou? Filho da Rose.

MÃE Ele é meu filho, mãe.

VÓ Tu és filha dele? E ele é meu primo?

EU Não, não, não... tudo errado! Ela é minha mãe, eu sou teu neto e tu és mãe dela!

VÓ Ah, tá, entendi! Pelo menos não errei que te amo!

EU Eu também te amo, vó!

60.

VÓ Fui lá na farmácia hoje.

EU Não foi, não, vó, tu só achas que foi.

VÓ Não, eu fui! Tenho certeza!

EU Vó, certeza? Tu também tens certeza que tua mãe está viva, vó.

VÓ E está. Mas eu fui à farmácia sim.

EU MANHÊÊÊ, A VÓ ESTÁ DIZENDO QUE FOI NA FARMÁCIA HOJE, VEM DIZER PRA ELA QUE ELA NÃO FOI!

MÃE MAS ELA FOI! NÓS FOMOS LÁ RAPIDINHO.

Vó me olhando com um sorrisinho maléfico no rosto.

EU Desculpe, vó.

61.

EU Vó, a comida está quase pronta!

VÓ Eu já almocei.

EU Claro que não, ninguém almoçou ainda, está ficando pronto o arroz!

VÓ Nada disso, já almocei, não vou comer de novo!

EU VÓ, TU NÃO ALMOÇASTE, TU ACHAS QUE ALMOÇOU!

MÃE A vó já comeu.

EU Putz que pariu, desisto.

62.

No aniversário da vó semana passada, fiquei a madrugada toda fazendo brigadeiro de panela, coloquei nos potinhos bonitinhos, triturei bolacha de chocolate para colocar por cima e ainda desenhei com leite condensado em cada potinho. Dei os brigadeiros para ela, que amou, e cantamos parabéns MIL VEZES. Umas cinco horas depois, fui comer um dos brigadeiros com ela no quarto e...

VÓ Tu vês, fazem de tudo para vender, né?

EU Hum? Não entendi, *nonna*. Vender o quê?

VÓ Isso daí. Comprei só porque vinha nesse potinho. Achei diferente.

EU AH, TU COMPRASTE ISSO DAQUI? MESMO, NONNA? ONDE?

VÓ Lá no armazém.

EU QUE ARMAZÉM, VÓ? COM QUEM?

VÓ Fui com uma guria. Há um armazém aí perto!

EU QUE BACANA, VOVÓ. E FOI CARO?

VÓ Ah, sabes que não lembro? Tu gostaste?

EU ACHEI UMA DELÍCIA, SUA SEM-VERGONHA! PASSEI A MADRUGADA TODA FAZENDO PARA TI E TU CRIAS TODA UMA HISTÓRIA.

VÓ Não, amorzinho da vovó. Eu comprei esses.

EU Caraca. O.k., vó, obrigado pelo docinho, está tribom!

Vinte minutos depois.

VÓ Lindão da vovó, pega na geladeira um daqueles docinhos que tu fizeste para a vó.

EU AAAAAAAAH, TU VAIS ACABAR COM A MINHA SANIDADE MENTAL, VÓ!

COISA MEIGA ACORDANDO!

63.

Vó veio falar comigo logo que acordou com voz de criança...

VÓ Eu saí ontem, sabia?

EU Ah, é? Aonde foste?

VÓ Fui em uma festa, dancei a noite toda!

EU Capaz, sério?

VÓ Sim, estou moída! Louca de dor nas pernas, passei toda a madrugada dançando.

EU Olha que maravilha, muito bem.

Fui falar com a mãe.

EU Só por desencargo de consciência: a vó não saiu ontem, né?

MÃE Não, foi dormir bem cedo. Por quê?

EU Nada, não!

64.

VÓ Sabe, Rose, esses dias encontrei na rua uma ex-colega de fábrica, isso de milênios atrás, claro! Ela também já se aposentou, mas me contou que a filha de uma amiga nossa foi convidada para trabalhar no exterior e, VEJA SÓ, era prostituição!

EU MÃE, É A MORENA! Hahaha.

VÓ Estão rindo de quê? É assunto sério!

MÃE Não, mãe. Essa história não é muito original, é da novela!

VÓ Claro que nããããão! Nem estou acompanhando a novela. (Ela via todos os dias comigo.)

EU Enfim, continua sendo a história da novela!

VÓ Igual?

MÃE Sim, mãe.

VÓ Ai, que saco!

65.

VÓ Eu quero andar naquele trem!

EU Tu já andaste de trem.

VÓ Mas eu quero aquele trem lá.

EU Que trem, vó?

VÓ Aquele ali da TV, o trem azul! Onde é?

EU O da propaganda da TIM? É efeito, vó, não é de verdade.

VÓ Não existe?

EU Não, vó! Hahaha.

VÓ Mas que palhaçada, eu adorei aquele trem, vamos?

EU Vamos, vó. Eu te levo!

66.

VÓ Estás comendo polenta às duas da manhã?
EU Claro que não, vó, é bolo de cenoura. Queres um pedaço?
VÓ O que tem por cima?
EU Cobertura de chocolate. Está tribom, queres?
VÓ Chocolate em cima da polenta? QUE NOJO!
EU É bolo, vó, de cenoura. Queres ou não queres?
VÓ Com chocolate? Eu quero.

Dois minutinhos depois.

EU Ó, vó...
VÓ Polenta a essa hora?
EU BOLO, VÓ, É BOLO! A SENHORA VAI ME ENLOUQUECER! QUER BOLO OU NÃO QUER BO-LO?
VÓ Eu quero, quero, mas por que não disseste que era bolo?
EU Mas eu disse!
VÓ Não, tu perguntaste se eu queria polenta. Vai entender...

67.

VOVÓ E PAPAI.

Nós dissemos para a vó que o pai estava doente – era mentira –, mas assim a vó parava de querer ir embora e ficava contente em poder nos ajudar. Uma hora ela passou pelo quarto, viu o pai deitado vendo TV e falou bem calmamente...

VÓ Oi, tudo bom?
PAI (*muito desconfiado*) Tudo, e com a senhora?
VÓ Eu estou bem! Lembras de mim?
PAI Eu lembro, claro! A senhora se lembra de mim?
VÓ Óbvio que eu me lembro, é o meu tio!
PAI Sou?
VÓ Sim, irmão do meu pai. Eu sou a Nilva, filha do Hugo. Lembras?
PAI Ah, sim, sim, lembro!
VÓ Logo, logo tu vais sair aqui do hospital!
PAI Mas... obrigado, vó!
VÓ E tu vais ver, tu não vais mais esquecer de mim!
PAI E tu de mim?
VÓ Minha memória é ótima!
PAI Glória a Deus!

68.

Eu estava dormindo no sofá da sala quando acordo engasgado...

EU QUE É ISSO?
VÓ Bom dia!
EU Bom dia? É de tarde! O que é que tu estavas botando na minha boca?
VÓ Doce!
EU Pera aí, isso é uma colher de Danette?
VÓ É!
EU A SENHORA IA ME MATAR ENGASGADO!
VÓ Exagerado. Mas de fome não morria!

69.

Estava com meus amigos na praia no dia em que descobri que havia passado na Universidade Federal do Rio Grande do Sul.

EU Quer ver uma coisa, Pascoal? Vou ligar para minha avó e contar que passei no vestibular, presta atenção.

No telefone.

EU Oi, vó, olha só, eu passei no vestibular da UFRGS!
VÓ Ah, que maravilha, meus parabéns! Qual o curso?
EU Medicina!
VÓ Ah, que beleza!

Dois minutos depois.

EU Oi, vó, queria te contar que passei na universidade federal!
VÓ Capaz, sério? Que máximo! Passou para que curso?
EU Psicologia!
VÓ Parabéns, meu amor!

Dois minutos depois.

EU Oi, vó, passei na UFRGS!
VÓ Oba, eu sabia que tu ias passar! Que curso tu vais fazer?
EU Direito, serei advogado!

Daí a pouco o telefone toca...

EU Alô.

MÃE Oi, Fê, tudo bem aí na praia?

EU Ótimo, e por aí?

MÃE Tudo bem também. Agora faz favor de parar de contar para tua avó que passaste no vestibular. Ela já veio na sala umas quinze vezes nos últimos dez minutos para me abraçar e dar parabéns pelo filho! Está toda faceira!

EU Ah, pode deixar!

MÃE E não te ilude, tu passaste para filosofia!

70.

Uma vez tentaram o sequestro por telefone com a minha avó. É quando alguém do presídio liga fingindo o sequestro de um filho ou neto e pedindo um resgate. Em alguns casos funciona.

VÓ (*no telefone*) Alô? Meu neto? DEZ MIL? Que palhaçada é essa?! Olha aqui, eu acho que tu tá me confundindo, eu NÃO tenho netos! (*desliga*)

EU Quem era?

VÓ Um louco, disse que estava com meu neto, que ia meter uma bala na cabeça dele se eu não entregasse 10 mil reais pra ele. Tá é louco!

EU Eles acham que a senhora é idiota, né. Te pegaram no dia errado, eu tô aqui! Haha.

VÓ É, acham que sou trouxa, não tenho netos.

EU O QUÊ?

VÓ É... eles tentando me passar a perna. Mereço.

EU Bem, pelo menos te saíste bem! Aceito! Haha...

71.

Réveillon de 2012.

VÓ (*toda empolgada e sorridente*) Ai, adoro Natal, acho coisa mais linda a árvore toda iluminada, a casa arrumada, essa comida toda maravilhosa e, olha, todo mundo feliz na noite de Natal!

EU (*cheio de farofa na boca*) É Ano-Novo, vó.

VÓ O QUÊ?! MAS A GENTE NEM TEVE NATAL!

EU Foi semana passada, tu inclusive está usando a camisa nova que te dei.

VÓ Beeeeem capaz, eu comprei essa blusinha na loja da esquina da minha rua, aqui em Caxias.

EU Estamos em Porto Alegre. Eu te dei essa blusa no Natal, que por sinal foi semana passada!

VÓ Iiiiiih, tá biruta!

EU Ó, se eu não estou, pode apostar que vou ficar! Haha.

72.

No supermercado...

EU Dez pães, por favor!

ATENDENTE Aqui, obrigado!

EU Obrigado!

VÓ Tu não vai pagar, Fernando?

EU Claro que vou, depois que comprar tudo que tenho que comprar.

VÓ Ué, tá louco?!

EU Ai, Deus, como assim?! Esqueceu como funciona um mercado?!

VÓ Não, eu sei muito bem como funciona um mercado, tu pede, paga e leva!

EU Mas não terminei de comprar!

VÓ E a menina que te vendeu o presunto? Vai ficar sem dinheiro?

EU MAS QUE PRESUNTO?! EU COMPREI PÃO!

VÓ E pagou?!

EU Vó, presta atenção, vou pagar tudo aquilo que peguei quando for embora, é assim que funciona.

VÓ Nunca vi disso na minha vida! Que coisa estranha. Tu pega o presunto, paga o presunto e leva o presunto!

EU EU COMPREI PÃO!!!!!

VÓ E não vai comprar presunto?! Vai comer pão com o quê?!

EU Ah, bem, daí são outros quinhentos!

VÓ Bom, tudo bem, faz como quiser, eu acho estranho.

Dez minutos depois.

VÓ Ah, Fernando, tu pagou o queijo?!

EU Pelo amor de Deus, deixa isso aqui, eu volto amanhã. Vamos pra casa ver filme.

73.

A vó estava mexendo dentro do sofá e toda risonha, bem sapeca...

EU vó, o que tu tá fazendo?

VÓ Quem, eu?

EU Sim! Perdeu alguma coisa no sofá?

VÓ Eu?

EU Tá, passamos essa parte já! Tá te rindo toda POR QUÊ?

VÓ Ué....

EU Espera aí... Tu já comeu toda a gelatina?

VÓ Que gelatina, Fernando?

EU PARA DE MEXER NO SOFÁ E FALA DIREITO COMIGO, VÓ!!

VÓ Mas que coisa...tô procurando um negócio que eu perdi.

EU AH, DEUS, TU DEIXOU A GELATINA TODA ESCORREGAR PRA DENTRO DO SOFÁ, NÉ?

VÓ Talvez...

EU HAHAHAHAHAHA... Deixa aí, nosso segredo!

74.

No dia do amigo...

VÓ Tu és meu amigo?

EU Eu sou teu neto!

VÓ Meu neto?

EU Sim, filho da tua filha. Ou seja, teu neto.

VÓ Uéééé...

EU Por quê?

VÓ Mas não é meu amigo?

EU Sou teu neto E TEU AMIGO.

VÓ Ah, bom, viu, eu sabia que tu era meu amigo.

EU Claro que eu sou!

75.

Vendo Harry Potter *com a vovó Nilva...*

EU Lembra quando nós lemos o livro, vó?

VÓ Que livro?

EU Desse filme, *Harry Potter!* Tu lembras que adorou a parte do fantasma que tinha no banheiro?

VÓ Quem, eu adorei?

EU Sim, vovó, te lembra do bruxinho que tem um raio na testa? Harry Potter?

VÓ Erri Boder?

EU Não. Daí tá ruim. HARRY POTTER!

VÓ O que tem isso?

EU "Ele", o que tem "ele". É um livro que tu leste, e virou o filme que estamos vendo!

VÓ Nunca vi esse filme...

EU TÁ ALI NA TV PASSANDO, ESTAMOS VENDO FAZ MAIS DE UMA HORA!

VÓ Eu acabei de sentar, amorzinho da vovó!

EU Ah, quer saber, vamos dar uma voltinha na rua?

VÓ Eu acabei de chegar!

EU NÃÃÃÃÃÃO! Enfim, o que tu quer fazer?

VÓ Ah, vamos ver esse negócio que tá passando aí, ó.

EU É HARRY POTTER! Vamos, vó, adoro *Harry Potter*. Vou fazer pipoca.

76.

EU Vó, quer ir comigo levar o lixo?

VÓ Ah, nem te preocupa, eu já levei!

EU Mas... tem certeza? A mãe pediu pra eu levar, antes de sair.

VÓ Claro que tenho, fui com tua mãe.

EU Ah, o.k. então!

VÓ Senta aí, ó...

Uma hora depois.

MÃE FERNANDOOOOOOO!

EU Iiiih, espera, vó, já volto!

MÃE Tu não levou o lixo como eu te pedi?

EU MAS A VÓ DISSE QUE TINHA LEVADO!

MÃE Mas ela tem ALZHEIMER!

EU Mas ela foi superobjetiva, disse que tinha ido contigo, tem certeza de que não foram?

MÃE É CLARO QUE TENHO! Vai levar o lixo já!

Levei...

EU Pô, vó, sacanagem, tu me disse que tinha ido com a mãe levar o lixo...

VÓ Oi?

EU É, tu disse que já tinha ido levar o lixo quando te chamei pra ir comigo.

VÓ Ah, só o que me faltava, tá caduco!

EU WHAAAAAAT?

VÓ Eu não disse coisa nenhuma! Tu deves estar esquecido. Eu vou contigo levar.

EU Já levei... Agradecido, moça.

E assim os dias passavam... putz, esqueci de levar o lixo!

77.

VÓ Na minha época elas eram enormes!

EU O quê?

VÓ Isso aí!

EU Celulares? Tinha celular na tua época?

VÓ Que celular o quê! Máquina de escrever!

EU Elas ainda são enormes. Isso é um celular!

VÓ Um o quê?

EU Celular, vó. Tu já até teve um! É pra fazer ligação, um telefone que vai dentro da bolsa.

VÓ Eu sei o que é um celular. Só não tinha te ouvido!

EU Ah, desculpe! Lembras que tiveste um também?

VÓ Daí tu já queres muito.

EU Ah, acredito! Mas enfim, tu não te adaptaste!

Cinco minutos depois.

VÓ Coisa incrível. Na minha época as máquinas de escrever eram enormes!

EU Mas! Pois é... Vê só!

VÓ Agora cabem no bolso!

EU Incrível!

78.

EU Por que é que tu estás tão quietinha, vó?

VÓ Nada, só tô com uma dúvida aqui...

EU Vai, pergunte, meu amor!

VÓ Qual o teu nome mesmo? É que eu tô esquecida!

EU É Fernando. Teu neto!

VÓ Meu neto? Mas... Essa é nova, hein?

EU Nova, nova, não é... Mas tudo bem! É Fernando Aguzzoli!

VÓ Aguzzoli? Eu também sou Aguzzoli!

EU Eu sei, vó, e é por isso que somos parentes!

VÓ Teu pai é Aguzzoli?

EU Não, minha mãe é tua filha!

VÓ Ah, claro! A Edi!

EU Rose!

VÓ Isso, Rose!

79.

A diarista veio me dizer que a vó havia dado um anel pra ela, a única joia que a vovó tinha. Um anel de esmeralda. Disse: "Tu és muito querida, vou te dar um presente", e entregou o anel de bandeja. Como a diarista é nossa amiga e muito gente boa, me devolveu.

EU Vó, reconhece esse anel?

VÓ Claro! Esse anel é meu. Nossa, tenho ele há anos! Que bom que tu encontraste, estou faz mais de semanas procurando.

EU Ah, é? Tu acabaste de dar de presente pra diarista.

VÓ O QUÊ? EU? Não, eu não! Isso aí é crime, hein!

EU Vó, me poupe. Pega teu anel de volta.

VÓ Ela que não entre no meu quarto de novo.

Dez minutos depois, estava a diarista no quarto da vó limpando.

VÓ Ai, tu é tão boazinha pra mim, vou te dar esse anel aqui de presente, ó...

EU VÓÓÓÓ!!!

VÓ AI, QUE É?

EU O ANEL É TEU!

80.

EU Vó, tu acreditas em vampiro?

VÓ Olha, não é que eu acredite, mas também não desacredito. Dizem que eles se transformam na lua cheia.

EU Isso é lobisomem!

VÓ Verdade!

81.

Em casa, nós tínhamos uma regra: quem acordasse a vó de noite ficava com ela até ela dormir! Às vezes eu chegava tão louco pra falar com ela que acordava minha pequena. Daí a mãe ficava fula comigo, e ela e o pai iam dormir!

MÃE Agora tu faz tua vó dormir de novo!

Trinta minutos depois.

MÃE MAS O QUE É QUE VOCÊS ESTÃO FAZENDO?

EU Vendo filme de terror!

VÓ Bah, bota terror nisso, OLHA ALI!

MÃE Depois tua vó não vai dormir!

VÓ Até parece, ela acha que eu tô caduca!

EU Ninguém acha que tu tá caduca, vó. Deixa comigo, mãe!

MÃE Tá, vou fazer pipoca pra vocês!

VÓ PIPOCA! OBA!

82.

Logo que Avatar *foi lançado, decidi levar a vó pra conhecermos o 3-D juntos no cinema. Bah... Que desastre! Até hoje tenho pena de pelo menos trinta pessoas que estavam mais próximas de nós, ou porque foram atingidas pelos óculos da vó, ou porque tiveram uma atração mais peculiar do que o próprio filme.*

A vó adorou o 3-D e lembrou do filme pra sempre – seguido ela dizia que estava passando Avatar *na TV e realmente estava. Mas pra ela essa nova tecnologia era bruxaria pura!*

EU Vó, para de mexer o braço! Tu não vais conseguir pegar nada, eles estão na tela, lá longe, é puro efeito especial!

VÓ Não é, não, põe o meu pra tu ver... OLHA AQUI, TÁ AQUI, PEGA!

EU Vó, para! Todos os óculos são iguais, NÃO DÁ PARA PEGAR, O.K.?

VÓ Claro que dá, toma aqui, bota os meus!

EU Tá, me dá, fica com os meus, então.

VÓ Mas, Fernando, os teus óculos são iguais, olha AQUI, PEGA ALI, Ó!

EU Deus do céu, PARE! ASSISTA O FILME!

Cinco minutos.

VÓ AAAAAAAAAAAAAH!

EU Vó, POR QUE TU ATIROU TEUS ÓCULOS?

VÓ Ele ia me acertar, tava vindo na minha direção. Se eu não tirasse tava lascada!

EU É tudo impressão, vó, não vai acontecer nada!

O filme foi todo assim. Só tenho uma coisa a dizer: POR QUE TRÊS HORAS DE FILME, DIRETOR?

Bom, ela AMOU!

83.

Muito frequentemente eu dormia sem camiseta, com ventilador na cara e janela aberta, tamanho é o calor que faz no verão gaúcho. Só que eu acordava com uma coberta de lã por cima, janela fechada e o ventilador virado pra parede (isso porque ela às vezes não conseguia desligar).

EU VÓ, VEM CÁ!

VÓ Que foi, amorzinho?

EU VÓ, TÁ FAZENDO CINQUENTA GRAUS, POR QUE DIABOS A SENHORA ME COLOCOU EM UMA SAUNA?!

VÓ Eu fiz o quê?!

EU A SENHORA FECHOU A JANELA, ME TAPOU E AINDA VIROU O VENTILADOR PRA PAREDE!

VÓ Mas claro, olha a corrente de ar que tava entrando! Tava uma ventania!

EU Pelo amor de Cristo, a ventania se chama VENTILADOR! Olha pra rua, tá vendo a árvore? Não tem uma só brisa!

VÓ Eu tô com frio!

EU Jesus, preciso de um banho!

VÓ Leva um casaco pra quando sair do chuveiro!

EU EU VOU TOMAR BANHO GELADOOOOOOOO!!!!!!!!

VÓ Olha a pneumonia, Fernando!!!!

84.

Com a vó descendo do táxi no shopping.

EU Tá aqui, obrigado!

VÓ E tu não vai?

EU Tu quem?

VÓ Teu pai!

EU É o taxista, vó, não é meu pai!

VÓ Claro que é teu pai, tá maluco?

EU Será que ele é meu pai?

VÓ Como será?! Claro que é! Agora ele foi embora, deve ter ficado magoado que tu não convidou ele pra ir conosco.

EU Poxa vida, que chato. Quando eu chegar em casa, vou me desculpar com ele... Vamos?

AGRADECIMENTOS

À MINHA FAMÍLIA

A arte se mistura à vida em todos os momentos, para em alguns casos novamente tornar-se arte. Avó e neto, sempre fomos apaixonados pelas telas do cinema e pelos grandes clássicos da literatura. Muitos filmes a que assisti ou livros que li com minha avó serviram de inspiração para que esta obra se completasse. Nada mais justo que trazer essas referências em forma de agradecimento.

"Olhe as estrelas. Os grandes reis do passado olham para nós lá das estrelas. E, sempre que se sentir sozinho, procure lembrar que aqueles reis sempre estarão lá para guiá-lo."

Talvez *O rei leão* seja o grande marco da minha infância, e que carrego para a vida inteira. Ao Simba, Mufasa e Sarabi agradeço por me apresentarem os motivos pelos quais os adultos também choram.

Quando pequeno, chorei ao imaginar minha família juntar-se às estrelas. Depois de grande, assisti ao filme com meu pai e timidamente observei que ele chorava. Não mais por imaginar, mas agora por saber que os grandes reis da nossa família um dia, de fato, estarão com as estrelas!

Meus pais lutaram ao meu lado em todos os momentos para que este livro fosse um dia realidade. Sempre digo a todos o quanto me orgulho da minha família, que sempre me apoiou em todos os meus sonhos e decisões. Cada pedacinho de "estranheza" faz da nossa família, sob meu ponto de vista, a mais perfeita de todas.

Os que da nossa família já se foram estão nos guiando lá de cima!

Obrigado, vocês são minha estrutura. Meu norte. Meu sul. Meu centro.

AOS MEUS AMIGOS

"I'll be there for you."

Como diz a frase acima, música-tema da série *Friends*: eu estarei lá por vocês!

Agradeço de coração à série *Friends*, por me ensinar que um GRUPO de amigos pode ser a família que escolhemos ter, e que Onde Come 1, Comem 2. Obrigado por estarem sempre ao meu lado, vibrando com as conquistas e chorando com as perdas. Eu os escolhi e fico grato em saber que também fui escolhido.

Uma das palavras mais icônicas da série é sem sombra de dúvidas "Unagi". Para falar a verdade, o personagem Ross não a define como uma palavra, mas como um estado de espírito. Segundo Ross, o Unagi faz com que ele se sinta preparado para qualquer situação que tenha que enfrentar. Percebi então que vocês são meu Unagi! Uma vitória, por menor que seja, não faz sentido se não puder ser comemorada com meus amigos, em um bar ou perdidos na noite de qualquer cidade. Mas também vejo que as dificuldades pelas quais passamos na nossa jornada juntos teriam sido insuportáveis se não tivéssemos uns aos outros para nos apoiarmos.

Obrigado por terem estado comigo de forma tão carinhosa quando virei pai, obrigado por compreenderem essa nova condição que a vida me impôs, por terem me atendido nos dias em que me sentia perdido, por terem estado comigo na noite mais longa da vida e por cuidarem de mim nos meses que se seguiram.

Aos amigos que foram atrás de incentivo para a obra, que viraram noites ao meu lado revisando o texto com muito café e boa vontade e que hoje fazem parte deste projeto: vocês estão impressos nestas páginas mais do que imaginam! Obrigado.

AOS PROFISSIONAIS

"Comprimidos aliviam a dor, mas só o amor alivia o sofrimento."

Agradeço ao médico Patch Adams por me ensinar o quanto um médico pode mudar uma vida. Não me refiro àqueles que o fazem da forma convencional — desses, por incrível que pareça, temos muitos! Mas àqueles que decidem entrar com tudo em boas causas e promover a qualidade de vida das pessoas, custe o que custar: tempo de lazer, dinheiro no bolso ou sorrisos alheios. Obrigado, dr. Eduardo Sabbi e dra. Suzete Saraiva, por terem acreditado no meu projeto desde o início.

Aos profissionais que colaboraram com suas considerações experientes, às instituições de longa permanência para idosos (ILPI), ao Sindicato dos Hospitais e Clínicas de Porto Alegre (Sindihospa) e à Associação de Psiquiatria do Rio Grande do Sul (APRS), muito obrigado por acreditarem que estas páginas podiam mudar vidas.

Sem vocês, o projeto não teria essa parcela de amor e entrega que certamente hoje transborda das páginas. O interesse por fugir dos termos técnicos e levar um pouco da prática até quem precisa, aliviando o sofrimento de familiares, é um benefício do qual poucos podem se orgulhar.

Àqueles sem os quais tudo teria sido muito mais difícil!

Obrigado.

AOS NETINHOS DA VOVÓ NILVA ESPALHADOS POR AÍ!

Força. Isso resume tudo.

Enquanto eu estava no hospital, sem dormir e recebendo as piores notícias, entrava na página da vó no Facebook e me deparava com centenas de mensagens.

Eram pessoas que se identificavam com nossa história e acompanhavam nosso dia a dia, pessoas que não conhecíamos e que viviam longe, algumas até fora do país, mas que, mesmo com essa distância, se intitulavam netos da vovó Nilva e sentiam um pouco da minha dor naqueles dias.

Recebia mensagens contando casos milagrosos, oferecendo companhia no hospital e até rezas em diferentes crenças. Ler tudo aquilo fazia com que o sono e a fome desaparecessem. Eu me sentia renovado ao saber que, em dois meses de página, ela havia alcançado tantas pessoas de forma tão profunda.

Eu lhe dizia: "Vó, tem tanta gente mandando mensagens de força e dizendo que logo vamos para casa!", e ela sorria.

Comecei a escrever este livro por incentivo dessas pessoas que curtiam nossa história. Foram tardes e mais tardes desenvolvendo o projeto e buscando na vózinha toda lembrança que pudesse agregar valor ao conteúdo do livro. Bem, conseguimos. Construímos juntos esta obra, que encerro sozinho como uma última homenagem.

Fico feliz — e digo isso também em nome de minha avó — em saber que, no finalzinho da jornada, aquela grande pessoa conseguiu conquistar tantos netos lindos como você. Obrigado por fazer parte desta história e compartilhar comigo suas próprias experiências.

À VÓ, A DEUS E À VIDA

Esta é outra carta que se acumula entre outras tantas que não tiveste a oportunidade de ler.

Minha intenção com esta, que certamente não será a última, é mostrar o quanto a arte que acumulamos hoje está impressa no que vivemos! Recordo-me do quanto choramos quando assistimos a *Marley & eu*. Litros e litros! Quem diria que anos depois eu viria, por meio de crônicas, relatar nossos casos cotidianos? Falando nisso, também assistimos ao filme *P.S. Eu te amo*, em que aprendi que as cartas apaixonadas são a forma mais sincera de eternizarmos aquilo que dizemos. Seja antes, durante ou depois.

Outro filme marcante que vimos juntos, e que mais tarde viria a fazer parte da nossa história, foi o italiano *A vida é bela*. O diretor Roberto Benigni me mostrou que, mesmo quando a vida te sufoca com surpresas desagradáveis e obstáculos intransponíveis, podemos optar por um sorriso — ainda que falso — no rosto e a sensação de missão cumprida no peito. Custe o que custar! Agradeço também ao professor Randy Pausch, por me mostrar através de seu livro que vida e morte são assuntos relativos, mas que a felicidade de viver ou ter vivido supera qualquer coisa.

Ao filme *Corrente do bem*, um agradecimento muito especial por ter me ensinado que certa atitude pode mudar uma vida, mas compartilhar boas atitudes com as pessoas pode mudar o mundo! Obrigado por me fazer entender que a arte do novo século está em tocar o coração daqueles que cruzam nosso caminho. Espero que este livro toque o maior número de pessoas e de alguma forma as transforme.

Por fim, gostaria de citar dois filmes que vimos várias vezes: *Garotas do calendário* e *Cartas para Julieta* me mostraram que toda carta escrita demanda tempo. Tempo é caro, e a resposta é um dever! As pessoas se identificam com nossas histórias e buscam apenas uma coisa: conforto. Espero poder, assim como as senhoras do filme, responder a todas as pessoas que em nossa história buscam conforto com seus familiares.

Aprendemos com a arte imitando a vida. Hoje imitamos a arte.

Obrigado.
Com carinho,
O neto.

"NADA DE GRANDIOSO EXISTE SEM PAIXÃO."
HEGEL

NOTAS

1. Muitas clínicas e hospitais inserem no cotidiano de pacientes o convívio com animais. Alguns desses idosos tiveram cães, gatos e outros bichos a vida inteira, e percebe-se o quão importante é essa inserção pós-demência. É importante manter essa relação com animais domésticos? Ela pode vir a contornar um quadro de depressão?

A "pet terapia" pode, sim, auxiliar no tratamento do Alzheimer. Alguns casos dessa convivência já mostraram que é possível melhorar quadros de depressão e até estimular atividades motoras com um simples exercício de escovar o pelo do animal. O contato com o bichinho já é suficiente para promover a alegria, desviar a atenção dos problemas atuais (quando o idoso está irritado ou impaciente) e estimular a interação social. Afagar um cachorro, por exemplo, pode despertar sensações de tranquilidade, relaxamento, bem-estar, confiança e proteção. A forma como o bichinho entra em ação transmite sentimentos de compreensão para o idoso, pois o animal não julga. Essa relação entre o idoso e o animal ainda pode trazer à tona lembranças positivas de um passado saudável e facilitar o desenvolvimento de sensações amigáveis.

Por Karina Schutz, psicóloga cognitivo-comportamental.

2. O que é a netoterapia e quais as suas vantagens?

Netoterapia foi um termo criado para explicar os benefícios que uma carga de responsabilidade, como cuidar de um neto, pode ocasionar a um paciente que está começando a perder suas funções. A alegria e energia de uma criança revertem ao paciente em melhora de atenção, de concentração e principalmente uma acentuada melhora no humor e disposição das vovós e vovôs. Certamente isso dependerá da fase da doença e das perdas que esse paciente apresenta, mas sempre que possível recomendo que os laços familiares e afetivos sejam estimulados durante todo o curso de um quadro demencial. Tratar de um paciente com demência não é só dar remédio, vai muito além disso; passa por respeitar toda a sua experiência prévia, suas alegrias e tristezas, ou seja, preservar toda a experiência de vida dessa pessoa.

Por dr. Ivan Hideyo Okamoto, médico neurologista.

3. Como a arteterapia pode ajudar na luta contra o Alzheimer?

A arte é uma ótima aliada dos doentes de Alzheimer que precisam manter o cérebro ativo e estimulado a fim de retardar o avanço da doença e melhorar a qualidade de vida. Olhar uma obra de arte e fazer atividades artísticas ajuda o idoso a exercitar as funções cognitivas prejudicadas, tais como atenção, planejamento, funções motoras e associações. Quando aplicada em grupo, traz também os benefícios do contato social. A arteterapia trabalha de maneira lúdica e criativa, combinando exercícios com a própria história pessoal do paciente, a fim de tornar mais ativos a mente e o pensamento afetados pelo Alzheimer. O arteterapeuta tem um olhar específico para fazer uso da arte como meio de reabilitação cognitiva, além de ajudar a resgatar histórias e sentimentos apagados pela doença.

Por Cristiane Pomeranz e Juliana Naso, arteterapeutas e idealizadoras do ateliê de Arte & Inclusão e do projeto Faça Memórias, do Terceira Idade Cultural.

4. Como podemos diferenciar o processo de envelhecimento normal daquele do idoso que está manifestando o mal de Alzheimer? Como funciona a relação entre memória recente e antiga?

Durante o curso da doença de Alzheimer, são afetadas, inicialmente, as memórias mais recentes (prejudicando muito, por exemplo, a capacidade de aprender coisas novas). As memórias mais antigas costumam ficar preservadas até fases mais avançadas da doença. É importante ressaltar, entretanto, que esse processo não ocorre somente nos pacientes com Alzheimer, sendo observado, também, no envelhecimento normal, embora de forma bem menos intensa. Para diferenciar os dois casos (normalidade *versus* doença), é importante analisarmos se a alteração da memória tem impacto na vida diária do paciente, ou seja, se o torna menos independente no seu dia a dia. Essa diferenciação não é fácil de ser feita e exige a avaliação de um médico com grande experiência clínica. O diagnóstico precoce é muito importante, pois amplia as possibilidades de correta orientação dos familiares para o planejamento dos cuidados do paciente no longo prazo. Isso minimiza a velocidade de perda de qualidade de vida dos doentes, bem como preserva, ao máximo, a saúde dos cuidadores.

Por Alberto Maia, farmacêutico e neurogeriatra.

5. Quando podemos diagnosticar o Alzheimer no idoso? Quais os sintomas básicos que podem nos levar a essa desconfiança? A doença é genética?

Um dos primeiros sinais de Alzheimer no paciente idoso é o isolamento social — em vez de conversar e interagir com os outros como costumava fazer, o idoso começa a preferir ficar sozinho, quieto. Esse é um quadro muito importante, que deve ser percebido pela família e relatado nas visitas médicas. Além disso, passam a ocorrer perguntas repetidas e o relato de não ter conhecimento de fatos dos quais o idoso recentemente participou ou foi participado. A lembrança de fatos muito recentes, como eventos que ocorreram ao longo do último dia ou das últimas horas, também fica progressivamente mais comprometida. E histórias passadas há muitos anos começam a ser misturadas a fatos atuais. A doença de Alzheimer tem um componente genético considerável como fator de risco. Sabe-se que o risco de desenvolvê-la é 3,5 vezes maior em pessoas que têm pelo menos um parente em primeiro grau com demência.

Por Berenice Werle, geriatra.

6. Como se dividem os estágios da doença e quais as principais características e cuidados em cada um deles?

A doença de Alzheimer divide-se em três estágios:

Leve: iniciam-se as dificuldades de memória para fatos recentes, o idoso não aprende nem retém informações novas, havendo necessidade de auxílio nas atividades rotineiras que antes realizava com facilidade. Muitas vezes, a pessoa não consegue se encontrar em locais previamente conhecidos, repete perguntas e reconta fatos no mesmo dia. É frequente a ocorrência de depressão nessa fase. Deve-se manter boa qualidade de vida, tentando preservar a independência, exercitar a memória através de atividades como pintura, participação em corais, aprendizado de línguas, leituras etc.

Moderado: surgem as confusões com tempo e locais e a dificuldade em reconhecer amigos e familiares que não vê com frequência. Há a necessidade de auxílio para atividades da vida diária, como vestir-se, higiene pessoal, banho, compras e deslocamento fora de casa. Também iniciam os distúrbios neuropsiquiátricos, como insônia, irritabilidade, agressividade e falta de motivação. É importante preservar a dignidade do idoso, protegendo-o de constrangimentos ou perigos, pois frequentemente ele sai para caminhar e se perde.

Grave: o idoso já não reconhece mais os familiares próximos e sua casa. Depende de outros para tudo, como alimentar-se, a higiene pessoal e vestir-se, passando a maior parte do tempo na cama ou sentado. Vai se tornando apático, falando pouco, com dificuldade em controlar a urina e fezes, necessitando o uso de fraldas. Numa fase terminal, fica acamado, necessitando de higiene na cama, alimentação na boca ou por sonda. Deve-se fornecer conforto, mantendo a higiene corporal, trocando as roupas, alimentando e hidratando da melhor forma possível, evitando dor ou falta de ar.

Por João Senger, geriatra.

7. Como administrar emocionalmente a questão de um ente querido se esquecer de você?

Ser esquecido por quem amamos é insuportável emocionalmente em um primeiro momento. Entendo que a única forma de tornar esse fato administrável é recorrer aos registros de memória, é trazer à tona o quanto aquela pessoa querida se lembrou de nós enquanto estava com a sua saúde preservada. Entendendo que o corpo dela está doente e relembrando que antes, quando não estava, havia um laço que nos ligava, poderemos saber e sobretudo sentir que existe uma trama, uma história, que persiste. É mais ou menos como ocorre quando alguém amado morre ou vai embora. Perdemos a sua presença física, mas podemos manter a sua presença viva dentro de nós. Esse é o término do trabalho de luto, o momento em que cessa a dor intensa e fica a saudade. A saudade é o símbolo do que nunca será perdido.

Por Luciana Firpo, psicóloga e psicanalista.

8. Como o familiar pode se conscientizar e aceitar a progressividade da doença?

Processar o sofrimento que sentimos ao nos deparar com os limites que nos causam dor e que, sabemos, culminam na finitude da vida, não é tarefa fácil. É preciso tempo para um trabalho psíquico de reconhecimento, aceitação e metabolização desses fatos. Além disso, nosso familiar demenciado não terá mais todas as armas que tinha para lutar, e teremos que emprestar-lhe as nossas. Desabafo com amigos, leituras e filmes sobre o tema e sobre a vida em geral, orientação médica e auxílio psicoterápico podem ajudar muito. E é fundamental mobilizar e dedicar afeto. Assim como o bebê, que ainda não pode falar o que quer ou de que precisa, recebe da mãe o colo, o toque e as suas palavras, o idoso que já não encontra mais as palavras vai precisar que o filho (cuidador) lhe ofereça o seu carinho. Sim, diferentemente do bebê que vai progredir na vida, o idoso doente vai regredir, mas jamais podemos pensar que alguém já não entende mais nada. Onde há vida há sempre algum grau de sensibilidade, por menor que pareça.

Por Luciana Firpo, psicóloga e psicanalista.

9. O que nós podemos fazer para nos mantermos mentalmente capazes, evitando um quadro precoce de Alzheimer? Existe essa prevenção?

Não há medidas capazes de evitar o surgimento do Alzheimer. Conseguimos apenas retardar ou amenizar seus sintomas iniciais. E, para isso, quanto mais conseguirmos estimular nossa memória ao longo da vida, melhor. Novos aprendizados são a medida mais eficaz e devem ser persistentemente buscados, seja qual for a área de interesse. Além disso, exercícios aeróbicos regulares também conseguem levar a um melhor funcionamento dos processos de memória. Já nos quadros de demência relacionados ao sistema circulatório, por sequelas de isquemias cerebrais, há medidas preventivas mais efetivas. O controle da pressão arterial, dos níveis de glicose/açúcar no sangue, do colesterol, não fumar e evitar o sedentarismo são medidas eficazes para evitar novos eventos isquêmicos e, consequentemente, comprometimento da memória no futuro.

Por Berenice Werle, geriatra.

10. O Alzheimer é uma doença progressiva e com o passar do tempo impossibilita o portador de morar sozinho. Qual o momento certo de interferir e trazer o portador para morar com algum familiar, em uma clínica ou com um cuidador?

É necessário interferir e buscar alternativas quando o idoso puser a própria vida ou a de outras pessoas em risco. Situações como esquecer o fogão ligado, guardar alimentos deteriorados, colocar objetos em locais inadequados, inverter a rotina, descuidar da higiene pessoal e do ambiente, confundir dosagem e horários de medicação, mudar o padrão de consumo — exagerando nas compras —, abrir a porta de casa para pessoas estranhas, se perder nas ruas da cidade, passar a apresentar quedas ou mobilizar vizinhos/ porteiros/ zelador com suas necessidades são exemplos de sinais de alerta. Cada família deverá avaliar com atenção a alternativa que melhor se ajuste à sua situação, considerando as necessidades do portador, bem como suas possibilidades emocionais e financeiras.

Por Esmeralda Kiefer, especialista em gerontologia social.

11. Quando um casal recebe em casa a mãe ou o pai de um dos cônjuges, vítima de alguma demência, como a família pode assumir os cuidados de forma saudável sem fazer estremecer, por exemplo, o próprio casamento?

Não é fácil aceitar a doença de Alzheimer em seu familiar e elaborar as perdas que ocorrem diariamente, até o ponto de não reconhecer mais naquele sujeito a pessoa com quem você conviveu tantos anos. Conhecer e aprender sobre a doença, saber quais os sintomas, como se manifestam, como será a sua evolução, saber o que fazer em determinadas situações é importantíssimo. Contribui para o sistema familiar na tomada de decisões, na efetivação de medidas práticas e no equilíbrio emocional dos seus membros, evitando assim que toda a família adoeça. Muitas vezes o Alzheimer acaba sendo um motivo de união para a família, que se aproxima para cuidar do paciente.

Por Ieda Zamel Dorfman, psicóloga, psicoterapeuta de casal e familiar.

12. Quando recebemos uma criança em casa, temos de adaptá-la de forma segura. Com um idoso vítima de demência, os cuidados são tão minuciosos quanto. A que devemos ficar atentos nessa adaptação do espaço para torná-lo mais seguro?

Certas precauções devem ser tomadas na casa. Algumas são muito simples, como retirar os tapetes para evitar tombos, assinalar as portas de vidro e janelas com fita adesiva ou adesivos de segurança para ajudar a identificar a "barreira" de vidro, retirar mesas de centro ou móveis com quinas das áreas de circulação, colocar na porta do banheiro um símbolo, palavra ou desenho para sinalizá-lo, regular a temperatura do aquecedor de água ou torneiras para evitar temperaturas excessivas que queimem a pele por descuido e manter medicamentos em espaços fechados. Nos banheiros, colocar barras de apoio no vaso sanitário e no boxe. Uma cadeira de PVC e duchas de mão podem facilitar também. Uma boa dica é trocar o assento sanitário (geralmente branco) por uma cor diferente para uma identificação mais fácil. A decoração da casa também pode ajudar: manter os móveis sempre no mesmo lugar e colocar fotografias, ornamentos e outras recordações que criem um ambiente familiar, desencadeando memórias e fortalecendo o sentido de identidade. Eliminar as sombras, brilhos e reflexos de espelhos e luminárias que possam confundir ou assustar a pessoa. Nos revestimentos, utilizar piso antiderrapante em cores lisas, sem padrões e sem brilho. As cores contrastantes ajudam a pessoa a ver onde acaba o chão e começa a parede. As portas em uma cor diferenciada ajudam a encontrá-las com mais facilidade.

Por Anne Thomsen, arquiteta e urbanista.

13. Em certo estágio da doença, mentir parecia inevitável. Inventar, por exemplo, que amanhã iríamos viajar deixava minha avó muito mais contente e tranquila, mas eu me sentia mal por fazer isso. Em que momento devemos nos desprender da moralidade para focarmos no bem-estar do doente?

É muito diferente uma conversa entre duas pessoas que possuem o mesmo entendimento da realidade e outra em que uma delas pode estar vivendo parcialmente fora dela. Não nos achamos mentirosos, por exemplo, quando contamos um sonho no qual fizemos peripécias que somente ali aconteceriam. Nem chamamos o diretor de um filme de ficção de mentiroso porque colocou nele cenas impossíveis de acontecer. Se entendermos que muitas vezes o doente com Alzheimer está impossibilitado de interagir completamente dentro da realidade, em função do seu comprometimento cerebral, poderemos também nos permitir entrar um pouco na forma fantasiosa como ele consegue se integrar à vida. Não se trata de uma imoralidade, mas de uma viagem despretensiosa cujo único compromisso é preservar quem amamos e nos manter afetivamente conectados a ele.

Por Eduardo Hostyn Sabbi, psiquiatra.

14. Os idosos com Alzheimer muitas vezes não querem tomar água ou se alimentar. Como devemos proceder?

Muitas vezes o idoso com Alzheimer que é inapetente fica nervoso e ansioso na hora das refeições. É importante tornar esse momento o menos traumático possível. Até a pessoa que oferta o alimento e a forma como o faz podem influenciar em sua aceitação. Como estratégia geral, devemos oferecer várias refeições ao dia (de seis a oito), em pequenos volumes, sempre priorizando os alimentos da preferência daquela pessoa e evitando aqueles de baixa densidade calórica (por exemplo, gelatinas, chás, biscoitos) que irão satisfazer o idoso sem alimentá-lo de fato. É importante também manter a hidratação, oferecendo água, sucos naturais ou água de coco em pequenos volumes (de 50 ml a 70 ml) várias vezes ao dia ou até mesmo a cada hora. Quando a causa da inapetência é a dificuldade de mastigação, pode-se alterar a consistência dos alimentos, servindo-os mais macios ou bem cozidos. No caso de ele ter a impressão de que já fez a refeição e negá-la, devemos ofertar alimentos com muita calma e paciência em pequenas quantidades, às vezes até mesmo algumas colheradas, repetindo após vinte a trinta minutos. Trabalhar as cores e a apresentação das refeições vai torná-las mais atrativas e com melhores chances de aceitação. Além disso, quanto mais colorida e variada a alimentação, maior a oferta de vitaminas e minerais importantes para o bom estado nutricional do idoso. Pode ocorrer também de ele esquecer que já se alimentou e solicitar novamente, situação em que devemos ofertar os alimentos em pequenas quantidades, nunca negá-los. Aproveite esse momento para, por exemplo, oferecer frutas nos intervalos das principais refeições.

Por Gabriela Guerra Baião, nutricionista,
especialista em terapia nutricional enteral e parenteral.

15. Além da dificuldade com a fralda, minha vó afirmava frequentemente que já havia tomado banho, e assim os dias passavam. Quando insistíamos, ela ficava brava. Como o familiar deve proceder com relação à higiene pessoal?

A higiene pessoal do idoso é importante para sua autoestima, saúde e qualidade de vida. Por esse motivo é preciso ter perseverança, mas sempre buscando não bater de frente, tentando não dizer que ele está errado, que é teimoso — essas afirmações negativas apenas o deixarão irritado. O melhor modo para facilitar esse processo é buscar relações positivas com o banho ou mesmo com o uso de fraldas, dizendo que está bonito e cheiroso após o banho, dando a entender que o uso de fraldas é algo comum e não deve ser encarado com preconceito. O ideal é, quando possível, antes de passar para as fraldas, tentar utilizar absorventes discretos que não sejam visíveis quando o indivíduo estiver vestido.

Por Everton Eduardo Dellamora Raubustt,
enfermeiro especialista em saúde do idoso.

16. Em determinado momento, é nítido o desaparecimento de diversas características do portador: as preferências, o humor e as reações mudam e passam a fazer parte de alguém totalmente diferente. Acontece então uma perda de identidade?

Penso que a identidade, aquilo que é mais específico de cada pessoa, é a última coisa a se perder no Alzheimer. Mesmo que o paciente perca várias características, ele ainda conserva traços ou vestígios de sua identidade, pequenos fragmentos, frases, nomes, alguns sinais daquilo que sempre o caracterizou como pessoa. Nos estágios finais da doença, quando toda a memória pode ser perdida, toda noção que define alguém como uma pessoa, a identidade também pode sucumbir, embora vez por outra algo dela possa parecer se manter ou talvez resistir teimosamente ao apagamento total.

Por Cláudio Laks Eizirik, psicanalista.

17. Era comum minha avó se irritar no meio de uma conversa ou ficar confusa. Como podemos lidar com esses momentos de agitação ou mesmo de agressividade?

Uma vez que cada indivíduo funciona de uma forma diferente, é sempre importante entender o que gerou esse comportamento e, a partir de então, trabalhar as soluções. Pode ter sido um tom de voz, um gesto, uma postura, um assunto ou mesmo uma palavra que esteja associada a uma má recordação, um barulho na rua, um vento frio ou dor física, entre tantas outras possibilidades. Estando aberto a reconhecê-las, você poderá evitar problemas futuros ou lidar melhor com elas. A Alzheimer's Association desenvolveu dez dicas rápidas de forma genérica para essas situações: 1) mantenha-se flexível, paciente e calmo; 2) responda à emoção, não ao comportamento; 3) não argumente ou tente convencer; 4) use auxílios à memória; 5) reconheça as solicitações e responda a elas; 6) procure a razão por trás de cada comportamento; 7) consulte um médico para identificar causas relacionadas a doenças ou medicamentos; 8) explore várias soluções; 9) não leve para o lado pessoal; e (10) troque experiências com outros.

Por Eduardo Hostyn Sabbi, psiquiatra.

18. Que benefícios a musicoterapia pode trazer ao idoso portador de uma demência?

Através de atividades que proporcionam bem-estar e prazer, a musicoterapia no idoso busca melhorar a comunicação, organização, atenção, memória, mobilização, engajamento, socialização, autoestima, coordenação motora, percepção auditiva, visual e tátil e estimular a criatividade. Conforme o neurologista Oliver Sacks, mesmo nas pessoas mais demenciadas, a memória musical sempre estará preservada. Portanto, ao ouvir as músicas que fizeram parte da vida desse indivíduo, ele sentirá no presente as mesmas emoções e sensações vividas no passado, pois essas memórias não se perderam. Isso não só é um resgate da própria identidade e da história desse ser humano, como a possibilidade de reverter crises de raiva, ansiedade e depressão.

Por Paula Nosari, musicoterapeuta.

19. Álbuns de fotos, diários e lembranças passadas. Como essas recordações emocionais e visuais podem ajudar no cotidiano do portador?

Como diz o provérbio português: "Recordar é viver!". Esses instrumentos auxiliam o indivíduo no resgate de sua história de vida. A fotografia é amplamente utilizada nas sessões de terapia ocupacional para auxiliar o sujeito na orientação espaço temporal: onde, quando, quem e por quê. Dessa forma, o paciente sente-se pertinente ao grupo familiar e social, há identificação de si e dos que o cercam e, principalmente, o despertar das emoções e dos que são de suma importância para memorização. É importante, contudo, a atenção de quem convive, cuida e estimula o portador no transcorrer da doença para não despertar sofrimentos desnecessários pelo excesso de incentivos e exigência a que o portador não poderá responder. Assim, a delicadeza é fundamental, tendo em vista a pessoa que um dia o portador foi e significou na família e no contexto social em que vive. Destacamos o filme *Diário de uma paixão*, no qual o marido lê um diário para a esposa com comprometimentos de memória, pois não queria que ela esquecesse o amor que os unia havia setenta anos.

Por Patricia Sá, terapeuta ocupacional e fisioterapeuta, especializada em gerontologia social.

20. Incentivar a independência do paciente pode ser um erro? Como dosar essa independência nas atividades?

É muito importante incentivar a independência e autonomia do portador de Alzheimer, pois cada vez que ele realiza uma atividade simples, como escovar os dentes, escolher sua roupa ou o que vai comer, escrever ou ler, entre outras, ele está mantendo seu cérebro ativo. Isso possibilita qualidade de vida durante o percurso da doença. É claro que o papel do cuidador é muito importante sempre no auxílio, mas ele nunca deve realizar a atividade pelo paciente — quando esta for possível de ser executada. Se for preciso, o cuidador pode ajudar ou orientar, pois a presença, ternura e amor do familiar e/ou cuidador são indispensáveis.

Por Aline Rodrigues da Silva, terapeuta ocupacional.

21. Quais são os principais aspectos a serem observados na hora de escolher uma casa de repouso?

É importante visitar o local e avaliar a limpeza, principalmente nos banheiros e na cozinha, a qualidade da comida e se ela dispõe de um serviço de nutrição. Verifique as acomodações do quarto, se possui sistemas de segurança, como barras de apoio no banheiro e chuveiro, uma boa iluminação e a ausência de degraus. Veja se os residentes estão bem-arrumados e tranquilos, se o número de atendentes é suficiente para todos e se o pessoal é treinado para lidar com idosos, principalmente com idosos demenciados. Questione se há estímulo ao convívio e à presença de familiares, atividades de rotina e um espaço ao ar livre onde bata sol. Atente para a existência de atendimento médico, não necessariamente disponível na clínica, mas que faça visitas periódicas, e a organização em caso de urgências, como a chamada de um serviço de atendimento e remoção.

Por João Senger, geriatra.

22. O estímulo físico, além do cognitivo, também é importante para a rotina do portador de Alzheimer. Como adaptar a vida de um idoso a essa mudança?

A fisioterapia e a atividade física são muito importantes para a vida do idoso. O exercício traz consigo a independência e contribui para uma melhor qualidade de vida, pois possibilita a manutenção e ganho de força muscular, amplitude de movimento das articulações, melhora do equilíbrio, do padrão da marcha, das reações de defesa, e possibilita ainda maior conscientização dos movimentos produzidos pelos nossos membros de uma maneira geral. A manutenção da atividade física também contribui para diminuir a ansiedade e a depressão, uma vez que influencia na sensação de bem-estar e na melhora da autoestima, além de propiciar oportunidade de fazer novos amigos e aumentar a socialização. Pacientes com Alzheimer tendem ao isolamento; assim, é muito importante a atenção tanto da família quanto do profissional cuidador nesse momento. Promover atividades que busquem a socialização é fundamental.

Por Juliana Pacheco, fisioterapeuta.

23. Como saber quando a ajuda profissional no dia a dia é a melhor solução?

A ajuda profissional pode ser oferecida de muitas maneiras: por orientação, atendimento ou acompanhamento. Cada caso é um caso. Às vezes a família tem que trabalhar para se sustentar e pode também ter dificuldades com doenças. Tudo depende das condições de quem cuida, da relação anterior com essa pessoa, do tempo que ela quer ou pode oferecer para o paciente e da vontade de assumir essa tarefa. Depende também do estágio da doença e da possibilidade de manter o idoso em casa. Uma coisa para mim é fundamental: amor pela pessoa doente. Esse calor só será dado por alguém muito especial. Se havia uma relação de afeto entre as pessoas da família, essa relação tende a continuar. Eu me arriscaria a dizer que o afeto e o amor são mais importantes que a técnica.

Por Guite Zimerman, assistente social com especialização em gerontologia.

24. Por que o paciente de Alzheimer se esquece dos parentes, de atividades cotidianas e de outros aspectos essenciais, mas não de vícios como o tabaco ou o álcool? Esses vícios podem trazer algum agravante para a doença? É possível que o portador de Alzheimer venha a abandonar algum deles por meio de um tratamento?

A memória relacionada ao uso de tabaco e álcool envolve processos muito primitivos do sistema nervoso. Os pacientes de Alzheimer esquecem primeiro fatos e habilidades mais sofisticadas. Assim, a dependência de tabaco, álcool e outras drogas segue ativa, enquanto a doença evolui. Essas substâncias agravam qualquer doença do sistema nervoso, mudando o metabolismo do cérebro e deixando-o mais vulnerável ao processo de doença. Quaisquer pacientes usuários de tabaco, álcool e outras drogas podem abandonar o seu uso, mesmo aqueles que apresentem deterioração da capacidade cognitiva, como é o caso no Alzheimer. Ajustes nas técnicas psicoterápicas e de uso de medicações podem facilitar a tarefa de suspender tais substâncias.

Por Carlos Salgado, médico psiquiatra.

25. Muitas ações cotidianas que antes entretinham o paciente hoje entram na lista de limitações. Ela já não acerta os pontos do tricô, fazer palavras cruzadas é bastante complicado, e um filme não é mais atrativo, pois necessita de sequência. O familiar deve incentivar essas mesmas atividades ou buscar novas alternativas?

Um dos desafios em relação ao indivíduo com demência é saber avaliar o que ele está conseguindo fazer em cada estágio da doença para não exigir demais dele, mas também para não subestimar as capacidades que ele ainda tem no momento. É importante mantê-lo ativo, com atividades que ele julgue prazerosas sem esperar ou exigir desempenho. Assim, se mesmo não acertando os pontos do tricô, o paciente demonstrar estar gostando da atividade, ela deve ser mantida. Quando a atividade proposta não interessa ou deixa o paciente agitado em função de não conseguir fazê-la, tenta-se outra. Outro ponto muito importante é adequar as expectativas dos familiares e fazer com que eles entendam que não é vergonhoso propor ao seu familiar doente, por exemplo, uma atividade como colorir desenhos, mesmo que antes de adoecer ele exercesse atividades intelectuais de alta complexidade. O importante é mantê-lo ocupado, em atividades pelas quais ele tenha interesse e que sejam adequadas ao grau de prejuízo cognitivo e nível de funcionamento em que o paciente se encontra naquela fase da doença.

Por Analuiza Camozzato, psiquiatra.

26. Que medicamentos para a doença de Alzheimer são dispensados gratuitamente pelo governo federal?

O Ministério da Saúde aprovou em abril de 2002 a Portaria 703, instituindo o Programa de Assistência aos Portadores de Doença de Alzheimer (DA), em que, entre outros direitos estabelecidos, está o fornecimento gratuito das medicações rivastigmina, donepezil e galantamina. Já a memantina, também usada no tratamento da DA, não é fornecida pelo governo. Para obter as medicações, o portador de DA tem de primeiro ser atendido pelo médico generalista nas unidades de atenção básica de saúde, sendo então encaminhado para o especialista (geriatra, neurologista ou psiquiatra), que solicitará exames laboratoriais e de imagem e fará a avaliação neuropsicológica para que os medicamentos sejam liberados. (Fonte: Abraz)

Por Liliane Dias de Lima, psicogeriatra.

27. Quais os direitos do portador de Alzheimer?

A administração da vida do portador de Alzheimer tem de ser terceirizada para o familiar que, normalmente, é responsável pelos cuidados médicos e diários dele. Isso se chama interdição, e ela é proposta pelo parente acompanhado de um advogado. Podem promover a ação de interdição pais ou aqueles já nomeados tutores, o cônjuge ou qualquer parente ou, ainda, o Ministério Público. Caso a família tenha um rendimento de até três salários mínimos por mês para arcar com os custos e despesas do processo, poderá procurar a Defensoria Pública do Estado ou o Ministério Público, que tem o dever legal de cuidar dos interesses daqueles ditos incapazes pela lei, como é o caso do Alzheimer. A doença é encarada como alienação mental, e isso determina que o portador seja isento de Imposto sobre Produtos Industrializados (IPI) e Imposto sobre Operações Financeiras (IOF) para compra ou financiamento de veículos, e também do Imposto de Renda Pessoa Física (IRPF) para valores de recebimento da aposentadoria, benefício ou pensão. O restante é tributado. Há, ainda, a possibilidade de obter para o portador de Alzheimer acréscimo de 25% em sua aposentadoria, quando comprovado que ele necessita de um cuidador vinte e quatro horas por dia. Tal medida visa auxiliar a manutenção das pesadas despesas realizadas para o bem-estar do adoentado. Outros direitos do portador de Alzheimer são a aposentadoria por invalidez, auxílio-doença, direito ao saque do valor depositado em FGTS; assim como as cotas do PIS/PASEP, quitação do financiamento da casa própria e fornecimento de remédios pelo SUS.

Por Alessandra Vernier Busato, advogada.

28. Vale a pena cuidar de alguém com Alzheimer? O quê, afinal, importa na vida?

A decisão de dedicar tempo para cuidar de um familiar com Alzheimer nunca será fácil. Numa doença que vai desconstruindo gradativamente a identidade de quem amamos, decidir ficar ao lado dessa pessoa se mostra um profundo ato de amor e coragem. Isso porque, provavelmente, o cuidador vai sofrer mais do que o próprio familiar doente. Sofremos porque amamos e porque é difícil lidar com as perdas que o Alzheimer provoca em nosso familiar. É por isso que dizemos: cuidar é amar. E amar é cuidar. Esse é um preceito divino. Portanto, ficar ao lado do familiar nesse momento de vida é uma decisão que certamente fará toda a diferença, tanto para quem está com Alzheimer quanto para quem se dispôs ao papel de cuidador. Ambos são positivamente transformados pelos vínculos de afeto que se estabelecem nesse processo relacional, que é sempre uma via de mão dupla. Da mesma forma como os processos da morte, também a experiência do Alzheimer precisa se tornar uma profunda experiência de amor, na paradoxal certeza de que a morte e o sofrer se tornam mais leves para aqueles que se amam e demonstraram em vida o seu amor um pelo outro. Vale a pena, sim, cuidar!

Por Thomas Heimann, teólogo e psicólogo clínico.

TIPOGRAFIA LINUX LIBERTINE E MISSION GOTHIC
DIAGRAMAÇÃO Rita M. da Costa Aguiar
PAPEL Pólen Soft
IMPRESSÃO Gráfica Bartira, junho de 2015

FSC
www.fsc.org
MISTO
Papel produzido
a partir de
fontes responsáveis
FSC® C105484

A marca FSC® é garantia de que a madeira utilzada na fabriação do papel deste livro provém de florestas que foram gerenciadas de maneira ambientalmente correta, socialmente justa e economicamente viável, além de outras fontes de origem controlada.